KB207391

애견창업 이렇게 하면 성공한다

애견창업 이렇게 하면 성공한다

발　행 | 2024년 12월 04일
저　자 | 댕집사장
펴낸이 | 한건희
펴낸곳 | 주식회사 부크크
출판사등록 | 2014.07.15.(제2014-16호)
주　소 | 서울특별시 금천구 가산디지털1로 119 SK트윈타워 A동 305호
전　화 | 1670-8316
이메일 | info@bookk.co.kr

ISBN | 979-11-419-1977-1

www.bookk.co.kr
ⓒ 댕집사장 2024
본 책은 저작자의 지적 재산으로서 무단 전재와 복제를 금합니다.
본 책은 네이버에서 제공한 나눔 고딕 글꼴이 적용되어 있습니다.

애견창업 이렇게 하면 성공한다!

댕집사장 지음

CONTENT

머리말 5

제 1 화　기초와 성공을 위한 준비 6

제 2 화　사업 공간 계약 및 설계와 인테리어 59

제 3 화　운영과 관리 115

제 4 화　전문 노하우 153

제 5 화　확장 성장 전략 209

끝

전문 지식과 실전 노하우로 꿈을 현실로

애견 산업은 지속적으로 성장하고 있는 분야로, 많은 창업자들이 이 시장에 뛰어들고 있습니다. 본 책은 애견 창업을 고려하는 예비 창업자들에게 필요한 전문 지식과 실전 노하우를 제공합니다. 우리는 브리더에서부터 애견 호텔, 미용실, 유치원에 이르기까지 다양한 애견 관련 사업 모델을 다루며, 각 사업별 세부 전략과 실행 방안을 상세히 설명합니다.

이 책은 애견 창업의 기획부터 운영, 광고, 고객 관리에 이르는 모든 과정을 커버하며, 특히 시장 분석, 위치 선정, 효과적인 광고 전략, 고객 만족을 위한 서비스 제공 방법 등을 중점적으로 다룹니다. 또한, 실제 운영 노하우를 바탕으로 이론뿐만 아니라 실제 상황에서의 적용 방법까지 깊이 있게 탐구합니다.

애견 창업을 꿈꾸는 여러분에게 이 책이 실질적인 도움을 주고, 성공적인 사업으로 나아가는 발판이 되기를 바랍니다. 우리의 전문 지식과 경험이 여러분의 창업 여정에 풍부한 통찰력과 가치를 제공할 것입니다.

제1화 기초와 성공을 위한 준비

현재 진입 시기는 좋은가?

애견샵 창업을 선택한 이유는 단순히 강아지를 좋아하기 때문일 수도 있지만, 그보다 더 큰 이유는 반려동물 시장이 빠르게 성장하고 있으며 진입장벽이 비교적 낮기 때문입니다. 필자는 이러한 시장의 성장 가능성 때문에 지금이야말로 시작하기에 적절한 시기라고 생각합니다. 반려동물 산업은 계속해서 확대되고 있어, 오늘 당장이라도 준비를 시작할 가치가 있습니다. 여러분도 철저한 준비를 통해 성공적인 창업을 이루길 바랍니다

반려동물 산업의 개요

1.1 반려동물 산업의 현재와 미래

1)국내 및 해외 반려동물 시장의 성장 배경

세계적으로 반려동물 산업은 빠른 성장을 보이고 있습니다. 이는 반려동물을 단순한 동물이 아닌 가족의 일원으로 받아들이는 인식의 변화에서 기인한 것으로 볼 수 있습니다. 특히, 한국을 비롯한 여러 나라에서 고령화와 1인 가구의 증가로 인해 정서적 유대감을 충족하기 위한 반려동물 입양이 급증하고 있습니다. 이로 인해 반려동물과 관련된 다양한 서비스와 제품의 수요가 증가하면서 산업 전반의 성장으로 이어지고 있습니다.

한국의 경우, 인구의 고령화 속도가 세계에서 손꼽히게 빠르며, 이에 따라 1인 가구와 고령층이 반려동물을 정서적 반려자로 삼는 추세가 두드러지고 있습니다. 이러한 현상은 서구 국가에서도 나타나며, 전 세계적으로 반려동물을 가족처럼 여기는 '펫팸족'의 등장은 반려동물 산업의 급성장을 이끌고 있습니다.

2) 반려동물 사업의 주요 트렌드

1.프리미엄화와 맞춤형 서비스

반려동물 사업은 단순히 먹이나 용품을 제공하는 데 그치지 않고 점차 고급화되고 있습니다. 반려동물의 건강과 행복을 최우선으로 고려하는 소비자들이 증가하면서 유기농 사료, 맞춤형 간식, 건강 보조제 등 고품질 제품에 대한 수요가 높아졌습니다. 또한, 정기 구독 서비스나 반려동물 전용 요리 서비스와 같은 맞춤형 서비스도 인기를 끌고 있습니다. 해외에서는 반려동물 전용 스파, 호텔 서비스 등이 정착해 있으며, 한국에서도 프리미엄 시장이 빠르게 확산되고 있습니다

.

2.반려동물 복지 및 헬스케어

반려동물의 건강과 복지를 중시하는 트렌드가 확대되면서 헬스케어 시장도 커지고 있습니다. 최근 반려동물 전용 보험, 정기 건강검진, 동물 병원 서비스의 수요가 증가하고 있으며, 이를 통해 반려동물의 건강 관리를 체계적으로 할 수 있는 환경이 마련되고 있습니다. 특히, 해외에서는 반려동물 맞춤형 헬스케어 구독 서비스가 인기를 끌고 있으며, 반려동물의 수명을 연장하고 생활의 질을 향상시키려는 움직임이 활발하게 이루어지고 있습니다.

3.디지털화와 기술 혁신

디지털 기술의 발전은 반려동물 산업에도 큰 변화를 가져왔습니다. 반려동물 관련 정보를 공유할 수 있는 커뮤니티와 앱, 반려동물의 건강과 행동을 모니터링할 수 있는 스마트 디바이스 등이 인기를 끌고 있습니다. 특히, 스마트 헬스케어 기기와 원격 상담 서비스가 확대되면서 반려동물의 건강과 안전을 언제 어디서나 관리할 수 있는 시스템이 구축되고 있습니다. 이러한 디지털화는 고객과의 소통을 강화하고, 맞춤형 서비스를 제공하는 데 기여하고 있습니다.

4.반려동물 친화적 문화의 확산

전 세계적으로 반려동물과 함께하는 삶이 새로운 라이프스타일로 자리 잡으면서 반려동물 친화적인 문화가 확산되고 있습니다. 반려동물 동반이 가능한 카페, 숙박 시설, 공원 등이 증가하고 있으며, 많은 기업에서도 반려동물 동반 출근을 허용하는 정책을 도입하고 있습니다. 이러한 문화적 변화는 반려동물 산업의 확장을 가속화하며, 반려동물과 함께하는 라이프스타일을 원하는 소비자들에게 다양한 선택지를 제공하고 있습니다.

5.지속 가능성과 윤리적 소비

반려동물 산업에서도 지속 가능성과 윤리적 소비에 대한 관심이 커지고 있습니다. 예를 들어, 친환경 재료로 만든 반려동물 용품, 유기농 사료, 동물 복지를 고려한 제품 등이 주목받고 있습니다. 소비자들은 반려동물의 건강뿐만 아니라 환경 보호에도 관심을 갖고 있으며, 이러한 소비 성향은 반려동물 산업이 친환경적이고 윤리적인 방향으로 발전하도록 이끌고 있습니다.

6. 반려동물 시장의 장기적 방향성

올바른 애견샵 창업을 위해서는 반려동물 시장의 장기적인 방향성을 이해하는 것이 중요합니다. 현재 반려동물 시장의 트렌드는 하이엔드, 즉 고급화에 있습니다. 인테리어와 서비스에서 고급화를 추구해 장기적인 충성고객을 확보하는 전략이 필수적입니다.

소상공인일수록 대기업과의 가격 경쟁보다는 고유의 가치를 높이는 하이엔드 전략을 선택해야 합니다. 이는 단순한 용품 판매나 서비스 제공을 넘어 고객의 상상력을 자극하고 고유한 가치를 제공하는 브랜드로 자리잡는 데 중점을 둡니다.

고급화 전략은 다음과 같은 3가지 방법으로 접근할 수 있습니다

1.가질 수 없다고 느끼게 하기:

예를 들어, 반려동물 유치원의 경우 단순히 상담 후 입실을 확정하는 것이 아니라 테스트 절차를 거쳐 입학을 결정하는 방식으로, 고객에게 차별화된 가치를 제공합니다.

2.대체 불가능한 마케팅 전략:

다른 곳에서는 찾을 수 없는 유치원만의 특별한 이벤트와 혜택을 통해 경쟁력을 높입니다.

3.가격이 아닌 가치를 판매하기:

가격을 낮추는 방식이 아닌 고객이 필요로 하는 가치를 창출하는 것이 중요합니다. 유치원이라면 이벤트, 사진 촬영, 추억 만들기 등으로 고객이 기꺼이 지출할 수 있도록 유도하는 방식입니다.

1.2 반려동물 산업의 유형과 다양한 사업 모델

반려동물 산업은 다양한 사업 형태를 포함하고 있으며, 이는 각각의 특성에 따라 요구되는 자원과 장단점이 다릅니다. 반려동물을 키우는 가구가 늘어나고 반려동물을 가족처럼 여기는 문화가 확산되면서 반려동물 관련 사업의 범위도 크게 확장되고 있습니다. 여기서는 대표적인 반려동물 사업 모델과 각 모델의 특성을 살펴보겠습니다.

1) 반려동물 호텔

특징: 반려동물 호텔은 여행, 출장 등으로 반려동물을 돌보기 어려운 보호자들을 위해 일시적인 보살핌을 제공하는 서비스입니다. 이 호텔에서는 안전한 환경에서 숙박을 제공하며, 산책이나 놀이 시간 등 반려동물의 일상적인 요구를 충족시킬 수 있습니다.

장점: 반려동물 보호자들의 기본적인 필요를 충족시키며 안정적인 수요를 유지할 수 있습니다. 장기 투숙 시 추가 서비스로 수익을 창출할 수 있는 기회가 많습니다.

단점: 초기 시설 투자가 많이 필요하며, 특히 위생과 안전 관리를 위한 세심한 관리가 요구됩니다. 돌발 상황에 대비한 추가 인력과 시설이 필요해 운영 비용이 높을 수 있습니다.

요구되는 자원: 안전하고 청결한 숙박 시설, 전문적인 돌봄 인력, 위생 관리 시스템, 반려동물 행동 모니터링 장치 등이 필요합니다.

2) 반려동물 유치원

특징: 반려동물 유치원은 보호자가 일을 하거나 외출하는 동안 반려동물을 맡길 수 있는 장소로, 사회성 훈련과 놀이 시간을 통해 반려동물의 정서적 발달을 돕는 서비스입니다. 하루 단위로 운영되는 유치원은 반려동물들이 다른 반려동물들과 어울리며 즐겁게 시간을 보낼 수 있도록 환경을 제공합니다.

장점: 보호자들이 반려동물의 사회성을 높이려는 욕구를 충족시켜 비교적 지속적인 수요를 기대할 수 있습니다. 일일 단위의 이용이 많아 정기적인 수익이 발생합니다.

단점: 반려동물 간의 갈등과 돌발 상황에 대한 빠른 대처가 요구되며, 안전 관리가 필수적입니다.반려동물의 스트레스를 줄이기 위해 지속적인 교육과 놀이 프로그램을 개발해야 합니다.

요구되는 자원: 놀이 시설, 안전 관리 시스템, 사회성 훈련을 위한 전문 인력, 다양한 장난감과 놀이 기구 등이 필요합니다.

3) 반려동물 미용

특징: 반려동물 미용 사업은 목욕, 털 손질, 발톱 관리 등을 포함하여 반려동물의 외모와 건강을 관리하는 서비스입니다. 특히 털이 많은 견종의 경우 주기적인 관리가 필요해 안정적인 수요가 발생하는 편입니다.

장점: 반려동물 보호자들이 정기적으로 찾는 필수적인 서비스로 안정적인 수익 창출이 가능합니다.미용 실력과 서비스가 좋을 경우

고객 충성도가 높아질 가능성이 큽니다.

단점: 전문적인 미용 기술이 필요하고, 종별로 맞춤형 서비스가 요구됩니다.초기 장비와 공간 마련에 자본이 필요하며, 체력적으로 소모가 클 수 있습니다.

요구되는 자원: 미용 장비(드라이어, 클리퍼, 가위 등), 위생 관리 도구, 전문 미용 교육을 받은 인력 등이 필요합니다.

4) 애견카페

특징: 애견카페는 반려동물과 보호자가 함께 방문하여 시간을 보낼 수 있는 공간입니다. 반려동물 친화적인 인테리어와 놀이 시설을 갖춘 카페에서 보호자는 음료를 즐기고, 반려동물은 다른 반려동물과 어울릴 수 있습니다. 일부 애견카페는 반려동물이 없는 손님도 방문할 수 있도록 하여 반려동물과의 교감을 원하는 사람들에게도 기회를 제공합니다.

장점: 반려동물과 보호자 모두에게 매력적인 장소로 인식되어 다양한 고객층을 확보할 수 있습니다. 보호자가 반려동물과의 시간을 함께 보내며 커뮤니티가 형성될 수 있는 장소로서, 단골 손님을 확보하기 용이합니다.

단점: 안전하고 위생적인 환경을 유지하는 것이 필수적이며, 꾸준한 청소와 관리가 필요합니다.카페 공간이 반려동물의 활동을 충분히 수용하지 못할 경우, 반려동물 간의 마찰이 발생할 수 있습니다. 초기 인테리어 및 시설 투자 비용이 상당히 들 수 있으며, 지속적

인 시설 유지비도 고려해야 합니다.

요구되는 자원: 반려동물 전용 인테리어와 놀이 시설, 청결을 위한 위생 관리 도구, 반려동물 돌봄을 위한 전문 인력, 음료와 간식 등을 제공할 카페 운영 설비 등이 필요합니다.

5) 반려동물 유통

특징: 반려동물 유통 사업은 사료, 장난감, 의류, 의약품 등 반려동물 용품을 판매하는 사업입니다. 오프라인 매장뿐 아니라 온라인 쇼핑몰을 통해 반려동물 보호자들에게 다양한 제품을 제공할 수 있습니다.

장점: 구매 빈도가 높은 품목을 취급하므로 안정적인 수익 창출이 가능합니다.온라인 판매를 통해 전국적으로 고객을 확보할 수 있는 장점이 있습니다.

단점: 경쟁이 치열하고, 가격 경쟁으로 인해 마진이 줄어들 가능성이 있습니다. 고객의 니즈를 반영한 제품 구성이 중요하며, 재고 관리에 신경을 써야 합니다.

요구되는 자원: 제품 재고 및 관리 시스템, 온라인 쇼핑몰 구축 및 운영 기술, 소비자 동향 분석 능력, 다양한 제품군 확보가 필요합니다.

2. 반려동물 사업의 핵심 요소 분석

반려동물 사업을 성공적으로 운영하기 위해서는 고객층의 특성과 그들의 요구를 깊이 이해하고, 사업 운영에 필요한 필수 요소를 철저히 분석하는 것이 중요합니다. 반려동물 소유자의 특징과 구매 패턴, 반려동물의 생애주기에 따른 서비스 요구 변화 등을 이해하면 고객의 필요를 충족시키는 서비스를 제공할 수 있습니다. 또한, 법적 규제와 위생 관리 기준, 반려동물의 건강과 복지 고려 사항 등 사업 운영에 필요한 필수 요소를 충실히 준수하는 것이 필수적입니다.

2.1 반려동물 고객층의 이해

1) 반려동물 소유자의 특징 및 구매 패턴 분석

반려동물 소유자는 다양한 배경을 가지고 있지만, 몇 가지 공통된 특성을 보이는 경우가 많습니다. 반려동물을 가족처럼 여기며, 그들의 건강과 행복을 중요하게 생각하는 소유자들이 대부분입니다. 특히, 최근에는 반려동물의 웰빙과 삶의 질에 더욱 관심을 가지며, 고급화된 제품이나 서비스를 찾는 경향이 늘어나고 있습니다.

구매 패턴을 보면, 반려동물 용품이나 서비스에 대한 지출이 꾸준히 증가하고 있습니다. 특히 프리미엄 사료, 건강 보조제, 전용 의료 서비스 등 고급 제품에 대한 수요가 많으며, 애견 호텔, 유치원, 미용, 카페와 같은 다양한 서비스에도 지출을 아끼지 않는 편입니다. 이들은 온라인 쇼핑몰을 통해 구매하거나, 편리하고 즉각적인 서비스를 제공하는 비즈니스를 선호하는 경향이 있습니다.

2) 반려동물의 생애주기와 이에 따른 서비스 요구 변화

반려동물은 생애주기에 따라 필요한 관리와 요구 사항이 크게 달라집니다. 이를 잘 이해하는 것은 고객의 요구를 예측하고 맞춤형 서비스를 제공하는 데 필수적입니다.

어린 시기 (퍼피/키튼 단계):

이 시기의 반려동물은 건강한 성장을 위해 특별한 관리가 필요합니다. 면역력이 약하기 때문에 예방 접종, 기초 건강 관리가 중요하며, 사회성 훈련과 놀이를 통한 발달이 요구됩니다. 이 시기에는 유치원 서비스, 퍼피/키튼 전용 용품 및 사료 수요가 큽니다.

성숙기: 성숙기에 들어선 반려동물은 건강한 식단 유지와 함께 정기적인 미용, 운동, 그리고 기본적인 건강 검진이 필요합니다. 이 시기에는 유치원, 미용, 훈련 프로그램이 주로 이용됩니다. 반려동물 소유자들은 이 단계에서 높은 신뢰성을 가진 서비스와 편리한 접근성을 중시합니다.

노년기: 노년기에 접어든 반려동물은 신체적 기능이 떨어지기 때문에 건강 관리와 정기 검진, 영양 보충에 대한 수요가 커집니다. 고령 반려동물을 위한 케어 서비스나 건강 보조제가 큰 역할을 하며, 반려동물의 복지와 편안한 생활을 지원하는 것이 중요합니다. 노령 동물 전용 사료, 의료 관리, 심리적 안정에 중점을 둔 서비스가 요구됩니다.

전업과 부업 사업장의 규모 설정 및 매출 전략

1. 전업 사업장 규모 설정

- **규모의 유연성:** 전업으로 사업장을 운영할 경우, 대규모든 소규모든 사업주의 목표와 자본에 따라 규모를 결정할 수 있습니다. 전업으로 운영하면 전체적인 관리와 집중이 용이해집니다.

2. 부업 사업장의 규모와 매출 전략

- **부업으로 운영 시 규모 조정:** 부업으로 사업장을 운영하는 경우, 매출 극대화를 위해 다양한 서비스를 제공하는 것이 중요합니다. 이는 고객의 요구를 충족시키고, 여러 수익원을 확보하는 전략입니다.
- **서비스 다각화:** 매출을 높이기 위해 픽업 서비스, 호텔, 유치원, 애견용품, 미용, 강아지 분양 등을 포함한 종합 서비스를 제공합니다. 이는 고객의 편의성을 높이고, 다양한 필요를 한 곳에서 해결할 수 있도록 하여 고객 유치와 충성도를 증진시킵니다.

결론

- **전업 사업자:** 자본과 경영 능력에 맞추어 규모를 결정하되, 전략적으로 사업을 확장할 수 있는 준비를 합니다.
- **부업 사업자:** 규모가 작더라도 서비스 다각화를 통해 매출 증대를 목표로 합니다. 각각의 서비스가 잘 통합되어 운영되어야 하며, 고객의 만족도를 높이는 것이 중요합니다.

이 전략은 사업의 성격과 사업주의 목표에 따라 조정되어야 하며, 특히 부업으로 운영할 때는 시간과 자원의 제한을 고려하여 효율적인 운영 계획을 세우는 것이 중요합니다.

1) 필수 라이센스와 법적 규제 사항

반려동물 사업을 운영하기 위해서는 특정한 라이센스와 법적 규제를 준수해야 합니다. 각 나라 및 지역에 따라 요구 사항이 다르지만, 대부분 반려동물 호텔, 미용, 유치원, 유통 등에서 사업 허가증이 필요합니다. 한국의 경우, 반려동물 관련 사업은 동물보호법과 환경부 규제를 따르며, 사업 등록, 동물보호 교육 이수 등 조건이 필요할 수 있습니다. 또한, 반려동물 건강과 복지 관리에 대한 법적 책임을 이행해야 하며, 위반 시 벌금이나 사업 정지와 같은 처벌이 부과될 수 있습니다.

매년 개정되는 반려동물 관련 법률과 사회적 인식 변화에 주목해야 하는 이유

반려동물 산업은 급성장하고 있는 분야로, 국민적인 관심도 매우 높습니다. 관련 사건이나 이슈가 자주 뉴스에 오르며 사회적 논의가 활발하게 이루어지는 만큼, 이에 따른 법률 개정과 규제도 빈번하게 발생하고 있습니다. 반려동물 사업을 운영하는 데 있어, 매년 개정되는 법률과 변화하는 사회적 인식을 반영하여 사업 방향을 설정하는 것은 필수적입니다.

이러한 법적·사회적 변화에 적절히 대응하지 않으면, 규제나 제재가 늘어나는 환경에서 사업 운영이 점점 까다로워질 수밖에 없습니다. 특히, 법률이 사회적 인식에 따라 변화하는 만큼 선진국의 사례와 국내외 시장 상황을 주시하며 대응 전략을 수립하는 것이 중요합니다. 예를 들어, 대형견 사고가 사회적 관심을 받으면 대형견 관련 규제가 강화될 수 있고, 그로 인해 대형견을 중심으로 한 사업이 축소되고 소형견 서비스 수요가 커질 가능성이 있습니다.

따라서 사업자는 사회적 흐름과 법적 변화를 꾸준히 파악하고, 이를 반영한 유연한 운영 방침을 수립해야 장기적인 성장과 안정성을 확보할 수 있습니다.

기초 가이드: 정부에서 제공하는 전문가 교육 프로그램 활용

반려동물 사업을 성공적으로 운영하기 위해서는 관련 지식과 기술을 전문적으로 습득하는 것이 중요합니다. 대한민국 정부는 예비창업자와 종사자를 위해 **'동물사랑배움터'**라는 플랫폼을 통해 반려동물 산업의 필수 지식을 학습할 수 있는 교육 프로그램을 제공하고 있습니다.

1) '동물사랑배움터' 교육 프로그램의 특징

'동물사랑배움터'는 반려동물 복지, 건강 관리, 안전에 관한 기본지식부터 실제 사업 운영에 필요한 전문적인 지식까지 포괄적으로 다루는 교육 플랫폼입니다. 특히, 사업 운영과 고객 응대에 필요한 실무 중심 교육을 통해 창업과 운영에 필요한 전문성을 강화할 수 있습니다.

교육 내용:

- 반려동물의 복지와 행동 이해
- 반려동물의 건강과 응급처치
- 법적 규제와 위생·안전 관리
- 반려동물 케어와 관리 방법

교육 방식:

- 온라인 강의를 통해 편리하게 이론을 습득할 수 있습니다.
- 수료 후에는 수료증이 제공되어 전문성을 증명할 수 있습니다.

2) 전문가 수준의 학습을 통한 실질적 혜택

이 교육을 통해 반려동물 관리와 복지에 관한 전문성을 강화할 수 있으며, 사업을 운영하거나 고객에게 신뢰할 수 있는 서비스를 제공하는 데 큰 도움이 됩니다. 특히, **'동물사랑배움터' 수료증**은 반려동물 산업에서 신뢰를 더할 수 있는 자격 증명으로, 사업에서 경쟁력을 높이는 요소가 될 수 있습니다.

정부의 교육 프로그램을 적극 활용하여 반려동물 산업의 전문 지식과 노하우를 쌓고, 사업의 기초를 탄탄하게 다질 수 있도록 준비해 나가길 권장합니다.

안전과 위생 관리 기준

반려동물 사업에서는 안전과 위생 관리가 필수적입니다. 반려동물은 다양한 알레르기와 감염 위험에 노출되기 쉽기 때문에, 모든 시설은 청결하고 위생적이어야 합니다. 사업자는 반려동물이 편안하게 지낼 수 있는 환경을 제공하고, 다른 반려동물과의 마찰을 최소화하는 시설 구성을 갖추는 것이 중요합니다. 또한, 각종 소독제와 세척제를 사용한 정기적인 청소와 위생 관리를 통해 질병의 확산을 방지해야 합니다. 이러한 관리 기준은 고객의 신뢰를 얻는 데 중요한 요소입니다.

4) 반려동물의 건강과 복지에 대한 고려 사항

반려동물의 건강과 복지는 사업 운영의 최우선 과제로 고려되어야 합니다. 고객들은 반려동물을 단순히 맡기는 것이 아니라 그들의 안전과 건강을 믿고 의탁하기 때문에, 사업자는 반려동물의 건강 상태를 철저히 관리하고 돌볼 수 있는 체계를 갖추어야 합니다. 미용 시에도 스트레스를 최소화할 수 있는 환경을 제공하며, 유치원이나 호텔에서는 반려동물이 편안함을 느낄 수 있도록 놀이와 휴식 공간을 구분하는 등의 세심한 배려가 필요합니다.

특히, 다양한 연령대와 건강 상태를 가진 반려동물이 이용할 수 있도록 각종 건강 보조제, 의료 장비 등을 구비하고, 이상 상황 발생 시 신속히 대응할 수 있는 준비가 되어 있어야 합니다. 또한, 직원들이 기본적인 응급 처치 방법과 건강 관리에 대한 교육을 받아 반려동물의 복지에 기여할 수 있어야 합니다.

반려동물 사업의 성공은 고객의 신뢰를 얻는 것에 달려 있으며, 이를 위해서는 고객층의 요구를 잘 이해하고, 사업 운영에 필수적인 요소를 철저히 관리해야 합니다. 이를 바탕으로 고객이 믿고 맡길 수 있는 서비스를 제공한다면, 반려동물 산업에서 오랜 기간 지속 가능하게 성장할 수 있습니다.

4) 반려동물 시장의 장기적 방향성

올바른 애견샵 창업을 위해서는 반려동물 시장의 장기적인 방향성을 이해하는 것이 중요합니다. 현재 반려동물 시장의 트렌드는 하이엔드, 즉 고급화에 있습니다. 인테리어와 서비스에서 고급화를 추구해 장기적인 충성고객을 확보하는 전략이 필수적입니다.

소상공인일수록 대기업과의 가격 경쟁보다는 고유의 가치를 높이는 하이엔드 전략을 선택해야 합니다. 이는 단순한 용품 판매나 서비스 제공을 넘어 고객의 상상력을 자극하고 고유한 가치를 제공하는 브랜드로 자리잡는 데 중점을 둡니다.

스스로 가치를 낮추지 마라

반려동물 업계가 성장하면서 가격 경쟁을 택하는 창업자들도 늘어나고 있습니다. 그러나 이는 장기적으로 좋지 않은 선택입니다. 가격 경쟁은 대기업이 리스크를 감수하며 하는 전략으로, 개인 사업자가 무작정 따라할 경우 오히려 이익을 잃을 수 있습니다. 경쟁은 패자들의 싸움이라는 피터 틸의 말처럼, 주위의 경쟁에 휩쓸리지 말고, 높은 가치와 우수한 서비스를 제공해 더 많은 비용을 받는 것에 초점을 두어야 합니다.

4)성공적인 애견샵 사장의 마인드셋

성공적인 애견샵 운영의 핵심은 반려동물에 대한 존중입니다. 반려동물을 사랑하는 마음에서 시작하더라도 시간이 지나면 초심을 잃기 쉽습니다. 특히 잘못된 환경 속에 지속적으로 노출되면 반려동물에 대한 태도에 부정적인 변화가 생길 수 있습니다.

애견샵 창업 시에는 고객과 반려동물의 공간을 분리하여 통제할 수 없는 소음과 냄새를 줄이고, 직원이 스트레스 받지 않는 환경을 조성하는 것이 중요합니다. 이는 반려동물에 대한 존중과 올바른 대우를 가능하게 합니다.

또한, 단순한 사랑보다는 존중하는 마음으로 반려동물을 대하는 것이 필요합니다. 이를 통해 직원과 사장이 반려동물에 대한 이해와 배려를 지속하며 일할 수 있게 됩니다. 존중의 마음가짐을 잊지 않도록 직원 교육에서도 이 점을 강조해야 합니다.

반려동물을 아끼는 마음은 환경에서 비롯된다

반려동물을 존중하는 마음은 적절한 환경에서 더욱 강화됩니다. 운영 관리자가 즐겁고 편안하게 일할 수 있는 환경을 마련하는 것은 필수입니다. 통제할 수 없는 소음과 냄새에 노출되지 않도록 공간을 구성하고, 배변 관리 동선 등을 효율적으로 설계해야 합니다.

매장을 방문하는 고객이 불편함 없이 응대받을 수 있도록 소음과 냄새를 최소화하는 것도 중요합니다. 초보 창업자들은 고객 유치에만 집중하기 쉬우나, 이러한 기본적인 환경 요소 또한 고객 만족에 큰 영향을 미칩니다.

3. 사업 입지와 타겟 고객층 설정

성공적인 반려동물 사업을 위해서는 입지 선정과 타겟 고객층 설정이 필수적입니다. 입지 선정은 고객 접근성과 서비스 이용 빈도에 큰 영향을 미치며, 타겟 고객층을 구체적으로 설정함으로써 지속 가능한 성장을 도모할 수 있습니다. 이 장에서는 입지 선정의 중요성, 지역별 수요 조사와 경쟁 환경 분석, 그리고 주요 고객층 세분화를 통한 맞춤형 서비스 전략을 다루고자 합니다.

3.1 입지 선정의 중요성

1) 입지에 따른 고객 유입 예측

입지는 반려동물 사업의 성패를 좌우하는 중요한 요소입니다. 접근성이 좋은 위치일수록 보호자들이 쉽게 방문할 수 있어 고객 유입이 자연스럽게 증가합니다. 예를 들어, 고객이 자주 찾는 상업지구나 주거 밀집 지역은 보다 유리한 위치로 간주됩니다.

입지 선정 시 네이버 광고 키워드 검색을 활용해 수요를 분석하는 방법도 유용합니다. 예를 들어 '평택 애견호텔'과 '수원 애견호텔' 키워드의 검색량을 비교해 각 지역의 실제 수요를 파악하는 식입니다. 이러한 데이터 분석을 통해 지역별 반려동물 서비스 수요와 고객 관심도를 보다 구체적으로 예측할 수 있습니다.

또한, 고객층의 소비 성향에 맞춘 입지를 선택하는 것도 중요합니다. 1인 가구와 원룸이 밀집된 지역은 반려동물 보호자 비율이 높고, 생활 환경상 반려동물 서비스에 대한 필요가 큽니다. 반면 신축 아파트 단지 근처는 상대적으로 소비를 아끼려는 경향이 있어, 반려동물 서비스와 같은 추가적인 지출을 줄이는 경우가 많습니다. 이 점을 고려해, 고객 접근성이 높고 소비 여력이 있는 지역을 선정하는 것이 효과적입니다.

애견샵 상권 및 상가 선택 가이드

상권이란 일정한 수요를 기반으로 고객을 끌어들일 수 있는 지리적 범위를 의미합니다. 상권의 상태와 변화 주기를 이해하는 것은 애견샵 입지를 선정할 때 매우 중요한 요소입니다. 이를 통해 창업자는 성공적인 상권에 자리잡고, 향후 사업 확장을 위한 기반을 마련할 수 있습니다.

상권의 연령 단계

상권은 크게 다음과 같은 단계로 나뉩니다:

- **도입기 → 성장기 → 성숙기 → 안정기 → 쇠퇴기 → 천이기 → 악화기**

애견샵을 창업할 때는 **도입기, 쇠퇴기, 천이기, 악화기의 상권은 피하는 것**이 좋습니다.

1.도입기

도입기는 신도시가 입주 초기 약 3년간 겪는 단계로, 상권이 아직 충분히 형성되지 않은 시기입니다. 일부 교통 중심지를 제외하고는 상권의 기반이 부족하며, 임대료가 비싼 경향이 있어 초기 비용이 높을 수 있습니다. 이 시기에 잘못된 상권에 진입하면 성장기와 성숙기의 혜택을 보기 전에 폐업할 위험이 있으므로, 도입기 상권 진입은 매우 신중해야 합니다.

2.성장기

성장기는 상권의 틀이 잡히기 시작하는 단계로, 상가의 가격과 권리금이 형성되기 시작하는 시기입니다. 권리금이 형성된다고 해서 모두 활발한 상권이 되는 것은 아니기 때문에 신중하게 접근해야 합니다. 이 단계에 진입할 경우 권리금 지불을 고려하되, 도입기 때 입점 후 실패한 상가를 찾는 것이 유리할 수 있습니다. 단, 이미 애견샵이 폐업한 상가를 선택하는 것은 주의해야 하며, 실패 원인을 충분히 파악하는 것이 중요합니다.

3.안정기

안정기는 상권이 성숙하고 안정된 황금기입니다. 대체로 상권 형성 초기부터 약 10년이 지나야 안정기에 도달합니다. 안정기 상권은 고객 기반이 형성되고 지속적인 수익이 가능한 시기이므로, 신뢰할 수 있는 입지로 평가됩니다. 그러나 안정기 상권에 모두 동일한 성공이 보장되지는 않으므로, 입지 선택 시 여전히 신중하게 접근해야 합니다.

쇠퇴기

쇠퇴기는 상권 내 건물이 노후화되고 주거 환경이 악화되면서, 고객들이 상권을 떠나는 단계입니다. 또한, 인근에 새로운 도시가 형성되거나 대형 유통 시설이 들어서면서 기존 상권이 빠르게 쇠퇴할 수 있습니다. 안정기 상권에서 쇠퇴기를 예상하기 어렵기 때문에, 입지 선정 시 쇠퇴 신호를 사전에 파악하고 대비하는 것이 중요합니다.

유동인구 중심 상권 vs. 배후인구 중심 상권

애견샵은 어떤 상권 유형에 위치하느냐에 따라 고객 유형과 운영 방식에 큰 영향을 받습니다.

1.유동인구 중심 상권

유동인구 중심 상권은 거주지나 근무지가 불확실한 고객이 주로 모이는 상권입니다. 애견 용품점, 애견 카페, 애견 분양 등과 같이 방문 빈도가 낮고, 비교적 즉흥적인 방문이 예상되는 서비스라면 유동인구 중심 상권이 유리할 수 있습니다.

2.배후인구 중심 상권

배후인구 중심 상권은 주택가, 오피스 상권과 같이 고객이 자주 방문하거나 위치가 확실한 상권입니다. 애견 호텔, 유치원과 같은 반려동물 서비스를 제공하는 경우, 배후인구 중심 상권이 적합합니다. 배후 인구의 생활 패턴에 맞추어 장기적인 고객 관계를 형성할 수 있으며, 안정적인 고객층을 확보하는 데 유리합니다.

2) 지역별 수요 조사 방법과 경쟁 환경 분석

입지 선정 과정에서 해당 지역의 수요를 정확히 파악하고 경쟁 상황을 분석하는 것은 필수적입니다. 수요 조사는 반려동물 소유 가구 비율, 해당 지역의 연령별 인구 구성, 평균 소득수준 등을 분석해 이루어질 수 있으며, 각종 통계 자료와 상권 분석을 활용할 수 있습니다.

네이버 광고 키워드 검색을 통해 특정 지역의 고객 수요를 더욱 구체적으로 파악할 수 있습니다. 예를 들어, 평택과 수원의 반려동물 호텔 관련 검색량을 비교해 어느 지역이 서비스 수요가 더 높은지 가늠하는 방식입니다. 이렇게 데이터를 기반으로 수요를 파악하면 입지 선정 시 더 유리한 판단을 내릴 수 있습니다.

경쟁 환경 분석 역시 매우 중요합니다. 지역 내 유사 반려동물 서비스의 종류, 가격대, 마케팅 전략 등을 분석하면 경쟁 업체와 차별화할 수 있는 포인트를 찾을 수 있습니다. 경쟁이 치열한 지역에서는 고유한 차별화 전략이 필요하며, 반면 경쟁이 적은 지역에서는 잠재 고객층을 겨냥한 마케팅으로 효과적인 시장 진입이 가능합니다.

3.2 타겟 고객층의 구체화

1) 주요 고객층 세분화 및 맞춤형 서비스 기획

타겟 고객층을 구체적으로 설정하는 것은 효율적인 마케팅과 맞춤형 서비스 제공을 위해 매우 중요합니다. 반려동물 보호자들은 연령, 생활 방식, 소득 수준, 반려동물의 종류에 따라 다양한 필요와 선호를 가지고 있으며, 이를 바탕으로 고객층을 세분화할 수 있습니다.

예를 들어, 20~30대 젊은 보호자들은 반려동물의 건강과 외모에 신경을 많이 쓰며, 반려동물 미용, 유치원, 사진 촬영 서비스와 같은 서비스를 선호하는 경향이 있습니다. 중년층 보호자들은 건강관리나 프리미엄 사료, 영양 상담 등 실질적인 서비스를 중요시하며, 고령층 보호자들은 주기적인 방문이 필요 없는 실용적이고 비용 부담이 적은 서비스를 선호합니다.

2) 타겟에 따른 서비스 차별화 전략

타겟 고객층에 따라 맞춤형 서비스를 제공하면 고객 만족도와 충성도를 높일 수 있습니다. 예를 들어, 젊은 보호자층을 위해 SNS를 통한 서비스 예약, 포토존 설치, 맞춤형 사진 촬영 서비스를 제공할 수 있습니다. 네이버 키워드 검색을 통해 젊은층이 선호하는 키워드와 관심사를 파악하면 더욱 유용한 맞춤형 전략을 세울 수 있습니다. 반면, 고령층 보호자를 대상으로는 친근하고 단순한 예약 시스템을 제공하고, 보다 안전하고 믿을 수 있는 서비스를 홍보하는 것이 효과적입니다.

이처럼 입지 선정과 타겟 고객층 설정은 반려동물 사업의 성공을 위한 필수적인 요소입니다. 데이터 기반의 수요 분석과 타겟 맞춤형 서비스 전략을 통해 고객에게 높은 만족감을 주고, 장기적인 성장을 위한 탄탄한 기반을 다질 수 있습니다.

4. 초기 자금 마련 및 자금 계획

성공적인 반려동물 사업 창업을 위해서는 초기 자본을 확보하고, 그에 맞는 자금 계획을 세우는 것이 필수입니다. 자금 계획은 창업 초기의 비용 부담을 줄이고 안정적인 운영을 가능하게 합니다. 초기 투자 금액과 자금 관리 전략을 잘 세우면 사업의 안정성을 높이고 지속 가능한 운영 기반을 마련할 수 있습니다.

애견샵 창업 비용 분석

초기 자본 요구 사항

애견샵 창업은 상대적으로 다른 사업들에 비해 소자본으로도 시작이 가능합니다. 초기 창업 비용은 다음과 같이 구성될 수 있습니다

1. **저비용 창업:**

- **초기 자본:** 약 3천만 원
- **포함 사항:** 보증금, 첫 달 임대료, 필수 인테리어 및 간단한 운영 장비
- **장단점:** 초기 투자 비용이 낮지만, 소비자들의 기대에 부응하기 어려울 수 있으며, 서비스 품질이 낮아 재방문율이 낮을 가능성이 있습니다.

2. **중간 규모 창업:**

- **예상 비용:** 5,000만 원에서 7,000만 원
- **포함 사항:** 보다 넓은 매장, 고급 인테리어, 질 좋은 장비 및 초기 운영 자본
- **장단점:** 경쟁력 있는 서비스 제공이 가능하며, 소비자 만족도를 높일 수 있습니다. 하지만 초기 투자 비용이 높아 리스크가 커질 수 있습니다.

3. **고급 창업 모델:**

예상 비용: 7,000만 원에서 1억 원

포함 사항: 최상의 위치와 인테리어, 전문 장비, 다양한 서비스 제공 가능

장단점: 높은 소비자 만족도와 브랜드 인지도 구축 가능, 지속적인 매출 증가 예상 가능. 그러나 높은 초기 투자로 인한 재정적 부담이 큽니다.

결론

애견샵 창업을 고려할 때, 창업자의 자본 능력과 시장의 수요, 예상 매출을 고려하여 적절한 투자 계획을 세우는 것이 중요합니다. 초기 비용을 절약하는 것도 중요하지만, 장기적인 사업 성공을 위해서는 충분한 투자를 통해 고객의 기대를 충족시킬 수 있는 서비스를 제공해야 합니다.

저자의 추천: 고급 창업 모델 저자는 애견샵 창업 시 고급 창업 모델을 추천합니다. 이 모델에서 예상되는 초기 투자 비용은 7,000만 원에서 1억 원 사이입니다. 이 비용은 최상의 매장 위치 선정, 고급 인테리어 설계, 최신 장비 구매 및 다양한 서비스 옵션을 포함하며, 매장의 규모는 2024년 기준으로 30~50평대입니다. 고급 창업 모델은 다음과 같은 장점을 제공합니다

- **고객 만족도 및 재방문율 증가:** 우수한 서비스 품질과 고객 경험을 제공함으로써, 소비자 만족도를 높이고 재방문율을 증가시킬 수 있습니다.
- **브랜드 인지도 구축:** 프리미엄 서비스와 상품을 통해 시장 내에서 브랜드의 인지도와 명성을 구축할 수 있습니다.
- **지속적인 매출 증가:** 높은 서비스 품질과 고객 만족도는 장기적인 매출 증가로 이어질 수 있습니다.

고급 창업 모델은 초기 비용이 높은 편이지만, 이를 통해 얻을 수 있는 장기적인 재정적 이익과 시장에서의 경쟁 우위를 고려할 때 매우 효과적인 투자라 할 수 있습니다.

4.1 초기 자본 준비와 투자 계획

1) 창업 자본 마련 방법

반려동물 사업을 시작하는 데 필요한 자본을 마련하는 방법은 다양합니다. 아래와 같은 자금 조달 방법을 통해 초기 자본을 확보할 수 있습니다.

대출: 가장 일반적인 자금 마련 방법 중 하나로, 창업 대출 상품을 통해 자금을 조달할 수 있습니다. 창업 대출을 받을 때는 상환 조건, 이자율 등을 충분히 검토하고 계획에 맞는 자금을 조달하는 것이 중요합니다. 특히 정부 지원 창업 대출은 비교적 낮은 이자율로 제공되기 때문에, 자격 요건을 확인해 보는 것이 좋습니다.

투자자 모집: 반려동물 산업의 성장 가능성을 보고 외부 투자자를 모집하는 것도 좋은 방법입니다. 특히 하이엔드 전략을 통해 고객 충성도를 높이려는 경우, 투자자들이 사업의 성장 가능성을 높이 평가할 수 있습니다. 투자자 모집 시에는 사업 계획서를 체계적으로 작성해 설득력 있게 제시하는 것이 중요합니다.

개인 저축 및 가족, 지인 투자: 개인 저축금을 활용하거나 가족 및 지인의 투자를 받는 방법도 있습니다. 이 경우는 상환 부담이 적다는 점에서 유리하지만, 구체적인 계획과 상환 방안을 명확히 해 두는 것이 중요합니다.

2) 필수 설비 및 인테리어 비용 예산 잡기

창업 초기에는 사업에 필요한 설비와 인테리어 비용이 큰 비중을 차지합니다. 이 비용을 잘 계획하는 것이 자금 관리의 핵심입니다. 일반적으로 반려동물 사업에 필요한 설비 및 인테리어 비용 항목은 다음과 같습니다:

설비 비용: 반려동물 호텔이나 유치원, 미용실을 운영할 경우, 위생 관리 설비, 안전 관리 시스템, 놀이 기구, 침대, 털 관리 도구 등 다양한 장비가 필요합니다. 이러한 설비 비용은 품질과 유지 관리 용이성에 따라 선택하며, 장기적으로 사용 가능한 고품질 제품을 추천합니다.

필수 설비 예산 예시

위생 관리 설비 (예: 공기 청정기, 배변 청소 도구 등): 100~200만 원

안전 관리 시스템 (예: CCTV, 화재 경보기 등): 150~300만 원

놀이 및 휴식 기구 (예: 반려동물 침대, 놀이기구 등): 200~500만 원

털 관리 도구 (예: 드라이어, 미용 장비): 200~400만 원

기타 기본 설비: 100~200만 원

총 설비 비용 예산: 약 750~1,600만 원

인테리어 비용: 반려동물 친화적이고 안전한 공간을 조성하기 위해 인테리어 비용이 필요합니다. 청결한 공간과 효율적인 동선을 고려한 설계가 중요하며, 특히 냄새와 소음을 줄이는 소재 선택이

필수입니다. 인테리어 예산을 설정할 때는 필수 항목에 우선순위를 두고, 예산 범위 내에서 최대한 효율적으로 비용을 사용하도록 합니다. 예산 초과를 방지하기 위해 각 항목별 예상 금액을 미리 설정하고, 최소 필요 예산과 예비 예산을 구분해 계획하는 것이 중요합니다.2024년 기준으로, 대한민국의 인테리어 평당 비용은 평균 138~200만 원으로 추정됩니다.

4.2 운영 자금 관리의 중요성

초기 창업이 성공적으로 이루어지려면 안정적인 운영 자금 관리가 필수입니다. 초기 1년간의 자금 계획을 체계적으로 세우면 사업의 리스크를 줄이고, 수익을 창출할 수 있는 기반을 마련할 수 있습니다.

상가: 오픈 후 자리 잡는 데 걸리는 시간

새로운 애견샵이 자리 잡는 데에는 상권과 입지에 따라 시간이 달라질 수 있습니다. 일반적으로 **시내 상권에서는 약 1년, 시외 지역이나 주택가 상권에서는 2년 정도**가 소요됩니다.

상권의 유형에 따른 시간 차이

- 유동 인구 중심의 상권은 고객이 쉽게 유입되지만, 지속적으로 방문하게 만들기 위해 차별화된 서비스와 전략이 필요합니다.
- 배후 인구 중심 상권은 고객 유입 속도는 느리지만, 한 번 자리 잡으면 충성 고객이 많아 안정적인 매출을 기대할 수 있습니다.

사업자가 유념해야 할 점

- **초기 마케팅 투자:** 오픈 초기 6개월~1년간은 집중적인 홍보와 마케팅에 예산을 투입해야 합니다.
- **프로모션과 이벤트:** 초기 고객 유치를 위해 할인, 무료 체험, 이벤트 등을 적극적으로 활용합니다.
- 현지화 전략: 지역적 특성에 맞춘 서비스 제공으로 지역 주민의 신뢰를 얻는 것이 중요합니다.
- **장기적인 관점에서 운영:** 안정적으로 자리 잡기까지의 시간을 예측하고, 초기 1~2년 동안의 운영 자금을 충분히 확보해둬야 합니다.

1) 초기 1년간의 자금 계획 세우기

창업 초기 1년은 사업의 성공 여부를 가늠하는 중요한 시기입니다. 따라서 첫 1년 동안의 자금 흐름을 잘 관리해야 합니다. 초기 자금 계획을 세울 때 고려할 사항은 다음과 같습니다:

월별 고정 비용 계산: 임대료, 인건비, 유지 관리비, 마케팅 비용, 공과금 등 매월 발생하는 고정 비용을 파악하여, 월별 수익 대비 비용을 예측합니다.

변동 비용 설정: 반려동물의 종류나 상태에 따라 변동 비용(예: 소모품, 미용 용품, 장난감 등)이 발생할 수 있습니다. 이러한 변동 비용에 대한 계획을 세워 수익에 따라 유동적으로 관리할 수 있도록 합니다.

예비 비용 마련: 초기 예상 외 비용이 발생할 수 있기 때문에, 예비 자금을 확보해두는 것이 중요합니다. 예비 자금은 전체 자금의 10~20% 정도로 설정하는 것이 좋습니다.

2) 예상 수익과 비용 관리 전략

사업 초기에는 수익이 일정하지 않기 때문에, 예상 수익과 비용을 잘 관리하는 것이 중요합니다. 수익을 안정적으로 늘려가면서 비용을 효율적으로 관리하는 전략을 세워야 합니다.

수익 예측과 목표 설정: 반려동물 사업의 월별 매출 목표를 설정하고, 이를 달성하기 위한 고객 유입 전략을 계획합니다. 예를 들어, 신규 고객 유치 프로모션이나 단골 고객을 위한 정기 방문 혜택 등을 통해 수익을 증대할 수 있습니다.

비용 절감 전략: 필요 이상의 비용을 줄이고, 효율적으로 비용을 사용할 수 있는 방법을 찾는 것이 중요합니다. 예를 들어, 사료나 소모품은 대량 구매를 통해 단가를 낮추고, 설비 및 집기는 중고 자재를 활용해 비용을 절감할 수 있습니다.

현금 흐름 분석과 개선: 매월 말 수익과 지출 내역을 꼼꼼히 분석하여 현금 흐름을 개선하는 데 중점을 둡니다. 수익보다 비용이 더 많이 발생하는 시기에는 홍보와 마케팅을 강화하거나, 비용 절감 방안을 마련해 손익 균형을 유지할 수 있도록 합니다 운영 자금 관리를 철저히 하면 창업 초기 어려움을 줄이고, 반려동물 사업의 안정적인 운영 기반을 다질 수 있습니다. 장기적인 수익 창출을 목표로, 효율적이고 계획적인 자금 관리를 통해 성공적인 반려동물 사업을 이루어 나갈 수 있습니다

5. 차별화된 브랜드 구축의 중요성

반려동물 사업에서 차별화된 브랜드를 구축하는 것은 성공적인 창업의 핵심 요소입니다. 고객들은 단순히 서비스를 이용하는 것 이상의 가치를 기대하고, 신뢰할 수 있는 브랜드와 지속적인 관계를 맺길 원합니다. 따라서 강력한 브랜드 콘셉트와 마케팅 전략을 통해 경쟁사와의 차별화 요소를 강화해야 합니다.

5.1 브랜드 콘셉트 기획

1) 사업의 비전과 미션 설정

브랜드 구축의 첫 단계는 사업의 비전과 미션을 명확히 설정하는 것입니다. 비전은 사업이 이루고자 하는 장기적인 목표이며, 미션은 브랜드가 고객에게 전달하고자 하는 가치와 의지를 나타냅니다.

비전 설정: 비전은 브랜드가 이루고자 하는 목표와 방향성을 제시합니다. 예를 들어, “반려동물과 보호자의 행복한 삶을 위한 맞춤형 서비스를 제공한다”는 비전을 통해, 고객은 해당 브랜드가 반려동물과 보호자를 위한 최적의 선택이 될 수 있음을 느낄 수 있습니다.

미션 설정: 미션은 브랜드가 고객에게 어떤 가치를 제공할지 구체화합니다. "반려동물의 건강과 행복을 최우선으로 하는 진정성 있는 서비스를 제공한다"와 같은 미션은 고객이 신뢰할 수 있는 브랜드로 자리잡게 합니다.

비전과 미션을 통해 브랜드는 단순히 반려동물 관리와 케어 서비스를 제공하는 것을 넘어, 보호자에게는 신뢰와 감동을, 반려동물에게는 안전과 행복을 제공하는 역할을 수행하게 됩니다.

상표 만들기(디자인) - 원하는 상표 제작 방법

원하는 상표 이미지 구체화하기

첫 단계는 자신이 원하는 상표 이미지를 구체화하는 것입니다. 상표 디자인 아이디어를 구체화하려면 **인스타그램, 구글 이미지 검색, 핀터레스트** 등에서 관련 이미지를 찾아보고, 이를 하나의 파일에 모아 스타일과 분위기를 명확히 설정합니다. 원하는 스타일을 정리한 후에는 디자이너와 소통할 때 구체적인 참고자료로 활용할 수 있습니다.

디자이너 컨택하기

주변에 신뢰할 만한 로고 디자이너가 있다면 그에게 의뢰할 수 있습니다. 만약 없다면, **크몽**과 같은 온라인 플랫폼에서 상표 제작 의뢰가 가능하며, 미리 모아둔 이미지를 참고해 적합한 스타일의 디자이너를 찾을 수 있습니다. 로고 디자인 비용은 일반적으로 **5만 원에서 50만 원** 사이이며, 디자이너의 경력과 작업 시간에 따라 차이가 있을 수 있습니다.

디자인 작업 지시하기

원하는 상표를 제작하려면 **구체적인 작업 지시**가 필수입니다. 예를 들어, "귀엽게 해주세요" 또는 "예쁘게 해주세요" 같은 표현은 상대적이기 때문에, 디자이너가 구체적인 이미지를 이해하기 어려울 수 있습니다. 대신, "심슨과 같은 그림체" 또는 "연필로 스케치한 느낌의 로고"처럼 구체적인 이미지를 설명하고, 필요한 경우 독자가 스케치한 구도를 전달하면 원하는 결과물에 가까운 작업물이 완성될 가능성이 높습니다.

기초 가이드: 반려동물 사업을 위한 상표 등록

상표 등록은 반려동물 사업의 시작 단계에서 필수적으로 고려해야 할 요소 중 하나입니다. 상표란 특정 서비스나 상품이 다른 경쟁자와 구별될 수 있도록 사용되는 기호, 문자, 도형, 브랜드, 트레이드마크 등을 의미합니다. 상표를 등록함으로써 해당 상표에 대한 독점적인 권리를 부여받을 수 있습니다. 이는 사업의 정체성을 보호하고, 브랜드의 가치를 지키는 중요한 절차입니다.

1) 상표 네이밍과 변리사 자문 받기

상표 네이밍은 소비자들에게 강한 인상을 주고 브랜드를 각인시키는 중요한 작업입니다. 사업에 어울리는 적절한 이름을 작명한 후, 해당 이름이 이미 등록된 상표인지 확인하는 과정이 필요합니다. 이를 위해 **특허청의 키프리스** 사이트를 통해 상표 등록 여부를 사전에 조회할 수 있습니다.

- 변리사 자문: 상표 출원 전에 변리사와 상담하여 해당 네이밍이 법적으로 보호받을 수 있는지 검토하는 것이 좋습니다. 변리사는 상표 등록 가능 여부뿐만 아니라 유사 상표와의 충돌 가능성까지 면밀히 검토해주기 때문에 상담을 통해 상표 등록의 안전성을 확보할 수 있습니다. 특히, 네이버 엑스퍼트 서비스를 통해 저렴하게 자문을 받는 것도 좋은 방법입니다. 다만 자문 비용은 변리사별로 상이할 수 있으므로 정확한 비용은 해당 변리사에게 확인하는 것이 좋습니다.

2) 상표 등록 시 추천 상품분류와 유사군 코드

상표 출원 시, 사업 운영에 필요한 상표의 분류를 설정해야 합니다. 반려동물 호텔, 유치원, 미용 등 다양한 서비스 영역에 걸쳐 상표를 보호받기 위해서는 아래와 같은 추천 분류와 유사군 코드를 참고하여 상표를 설정하는 것이 좋습니다. 다만, 최종적으로는 키프리스 사이트나 변리사를 통해 정확한 분류와 코드를 확인하는 것이 필요합니다.

*출처 : 특허청 키프리스(본인확인) *출처 : 네이버 엑스퍼트(변리사 자문)

*분류코드

35류	S2007	살아있는 동물 소매업	분양
35류	S2007	살아있는 동물 중개업	
43류	S174303	동물 숙박시설 제공업	호텔/유치원
43류	S174303	동물 위탁 보호업	
43류	S174303	애완동물 호텔서비스업	
43류	G0301, G0502, S120602	제과전문카페업	카페
43류	G0301, G0502, S120602	카페 및 레스토랑서비스업	
43류	G0301, G0502, S120602	포장음식/음료 제공업	
43류	S174403	애견미용서비스업	미용

3) 창업과 관련 없는 상표 분류도 함께 등록해야 하는 이유

상표 등록 시, 현재 사업에 포함되지 않는 분류라도 상표 보호를 위해 추가로 출원하는 것이 중요합니다. 예를 들어, 반려동물 호텔이나 유치원만 운영할 계획이라 하더라도, 카페 관련 분류를 등록하지 않으면 동일한 상표로 애견 카페를 차린 경쟁 업체가 생겼을 때 상표권을 주장할 수 없게 됩니다. 상표를 통한 권리 보호를 확실히 하기 위해 다양한 분류에 걸쳐 등록하는 것을 추천합니다.

4) 상표 등록 시 우선심사청구의 중요성

상표 등록 심사를 빠르게 진행하려면 우선심사청구를 신청하는 것이 도움이 될 수 있습니다. 단, 모든 출원에 우선심사청구가 적용되는 것은 아니며, 특정 조건을 충족해야 신청이 가능합니다. 예를 들어, 상표가 다른 상표와 충돌 위험이 있는 경우나 긴급히 사용해야 하는 경우에 우선심사를 요청할 수 있습니다. 일반 심사보다 빠른 2~4개월 내에 심사를 받을 수 있으며, 불필요한 상표 분쟁을 예방할 수 있습니다. 다만 우선심사청구 가능 여부는 조건에 따라 달라지므로, 전문가의 상담을 통해 필요한 경우 신청하는 것이 좋습니다.

결론

반려동물 사업을 성공적으로 보호하기 위해서는 상표 등록을 통한 브랜드 권리 확보가 필수입니다. 상표 네이밍부터 변리사 자문, 그리고 다양한 분류의 상표 등록까지, 철저한 준비를 통해 사업의 기반을 다지고 경쟁력을 강화할 수 있습니다.

상표 자가 등록하기 (특허로 활용)

셀프 상표 등록을 하고자 한다면 특허청의 특허로 사이트를 통해 직접 진행할 수 있습니다. 상표 등록은 절차가 간단하지만, 제출 전에는 신청서를 꼼꼼히 검토하는 것이 중요합니다.

추천 유튜브 채널과 영상으로는:

- **채널명: Namsby**
- **동영상 제목: [나홀로 상표출원] 누구나 할 수 있는 셀프 상표 출원 하는 방법 A to Z**

이 영상에서는 특허로를 통해 상표를 직접 출원하는 방법을 A부터 Z까지 설명하므로 참고하면 좋습니다.

상표 등록 시 글자명 우선 등록의 중요성

상표를 등록할 때 **글자명(텍스트 상표)**으로 먼저 등록하는 것이 여러모로 유리합니다. 글자명 상표는 특정 디자인이나 폰트에 얽매이지 않기 때문에 다양한 서체와 스타일로 활용이 가능하여 **넓은 보호 범위**를 확보할 수 있습니다. 예를 들어, "펫하우스"라는 글자명 상표를 등록하면, 이후 로고 디자인을 변경하더라도 상표권을 그대로 유지할 수 있어 **브랜드 유연성**이 커집니다.

또한, 글자명 상표는 고객이 브랜드명을 쉽게 기억하고 검색할 수 있어 **브랜드 인지도 강화**에 효과적입니다. 초기 디자인이 완성되지 않았거나 로고를 자주 변경할 계획이 있는 경우, 글자명만 먼

저 등록하고 필요할 때 이미지 상표를 추가하는 것이 **비용 절감**에도 도움이 됩니다

결론: 글자명으로 상표를 우선 등록해 **기본 상표권을 확보**한 후, 필요에 따라 이미지 상표를 추가 등록하는 전략이 안정적이며 효율적인 상표 보호 방법입니다.

경쟁자와의 차별화를 위한 브랜드 이미지 구축

성공적인 브랜드는 경쟁사와의 차별화를 통해 독특한 이미지를 구축합니다. 경쟁사를 분석하고, 그들과 차별화된 브랜드 이미지를 구체화하는 것이 필요합니다. 차별화된 브랜드 이미지 구축을 위해 다음과 같은 접근 방식을 고려할 수 있습니다.

특화된 서비스 제공: 경쟁사가 제공하지 않는 독특한 서비스를 통해 차별화된 이미지를 구축할 수 있습니다. 예를 들어, 맞춤형 반려동물 상담, 반려동물 전용 스파 서비스, 생애 주기에 맞춘 케어 프로그램 등을 제공하는 것입니다.

브랜드 스토리텔링: 고객은 단순히 서비스만 소비하는 것이 아니라, 그 서비스에 담긴 브랜드의 스토리를 느끼고자 합니다. 반려동물과의 일상에서 발생하는 따뜻한 에피소드를 활용해 브랜드 스토리를 만들어 가면 고객에게 더 큰 공감과 감동을 줄 수 있습니다.

프리미엄 이미지 강화: 고급화된 인테리어, 고품질 서비스, 고객 맞춤형 관리 등을 통해 프리미엄 이미지를 강화합니다. 이를 통해 브랜드가 단순한 반려동물 서비스가 아니라 고객이 신뢰하고 의지할 수 있는 명품 브랜드로 인식되도록 합니다.

5.2 마케팅과 브랜딩의 시작

1) 온라인과 오프라인 마케팅의 기초

성공적인 반려동물 사업을 위해서는 온라인과 오프라인을 아우르는 마케팅 전략이 필요합니다. 각각의 마케팅 방식은 서로 보완적이며, 브랜드 인지도를 높이고 고객 유입을 증대시키는 데 중요한 역할을 합니다.

온라인 마케팅:

홈페이지 및 블로그 운영: 고객이 브랜드를 쉽게 찾을 수 있도록 공식 웹사이트나 블로그를 운영합니다. 이곳에서는 사업 소개, 서비스 종류, 고객 후기, 이벤트 등을 제공해 고객의 관심을 끕니다. 블로그 포스팅을 통해 반려동물 관련 유용한 정보를 제공하면, 검색 엔진에서 브랜드 노출이 증가하여 방문자 수가 늘어납니다.

SNS 활용: 인스타그램, 페이스북, 네이버 블로그와 같은 SNS 플랫폼을 통해 브랜드의 이야기를 전달합니다. 주기적인 포스팅과 스토리, 고객 리뷰 등을 활용해 신뢰감을 주고, 반려동물 사진과 영상으로 고객의 관심을 끌어냅니다.

네이버 스마트플레이스: 네이버 스마트플레이스에 많은 공을 들여야 합니다. 스마트플레이스를 통해 업체 정보, 서비스 소개, 운영 시간, 리뷰 관리 등 고객이 필요로 하는 다양한 정보를 제공할 수 있습니다. 스마트플레이스는 네이버 검색 결과에서 상위 노출될 수 있는 중요한 수단이므로, 키워드 설정, 매력적인 사진 등록, 이벤트 공지 등을 꾸준히 관리해 잠재 고객이 쉽게 브랜드를 발견하고 방문할 수 있도록 합니다

오프라인 마케팅:

지역 커뮤니티와의 연계: 지역 반려동물 행사나 커뮤니티와 협력해 브랜드를 알리는 것도 좋습니다. 예를 들어, 지역 동물 보호 단체와 협력해 보호 동물 입양 캠페인에 참여하거나, 반려동물 상담 세미나를 열어 잠재 고객을 만나고 관계를 쌓을 수 있습니다.

리플릿, 포스터 배포: 고객들이 자주 방문하는 동물 병원, 카페, 반려동물 용품점 등에 리플릿이나 포스터를 배포해, 잠재 고객이 브랜드를 인식할 수 있도록 합니다.

2) SNS와 커뮤니티를 통한 초기 고객 확보 방법

SNS는 반려동물 사업에 있어 초기 고객 확보에 큰 도움이 됩니

다. 반려동물 보호자들은 SNS에서 정보를 찾고, 다른 반려동물 보호자들과 교류하며 신뢰를 형성하기 때문입니다.

콘텐츠 마케팅: 고객이 공감할 수 있는 콘텐츠를 SNS에 꾸준히 업로드합니다. **반려동물 관리 팁, 케어 과정 영상, 유기견 지원 활동 등을 게시하면 브랜드 신뢰도가 상승**합니다. 게시물에는 관련 해시태그를 활용해 검색 가능성을 높이고, 각 플랫폼의 광고 기능을 통해 잠재 고객에게 도달합니다.

고객 참여 유도 이벤트: 팔로워들이 쉽게 참여할 수 있는 이벤트를 통해 브랜드의 인지도를 높입니다. 예를 들어, "반려동물과 함께 찍은 사진" 이벤트를 통해 고객이 자연스럽게 브랜드를 알게 하고, 당첨자에게는 무료 서비스 제공, 소정의 선물 등을 통해 고객이 브랜드에 친숙해지도록 유도합니다.

커뮤니티와의 연계 활동: 반려동물 관련 커뮤니티와 연결해 초기 고객을 확보할 수 있습니다. 반려동물 보호자들이 자주 방문하는 커뮤니티에 브랜드를 소개하거나, 반려동물 보호자 모임과 협력해 브랜드 체험 기회를 제공합니다.

이렇게 온라인과 오프라인에서 동시에 초기 고객 확보를 위한 마케팅 활동을 진행하면, 브랜드 인지도를 높이고 초기 충성 고객을 유치할 수 있습니다. 경쟁이 치열한 반려동물 시장에서 차별화된 마케팅 전략을 통해 고객이 브랜드에 공감하고 충성할 수 있도록 만드는 것이 중요합니다.

6. 사업 계획서 작성과 창업 준비 체크리스트

성공적인 반려동물 사업을 창업하려면 명확한 사업 계획서와 철저한 준비가 필요합니다. 사업 계획서는 목표와 운영 계획을 체계적으로 정리하여 사업의 방향성을 잡고, 필요 자금을 확보하는 데 중요한 역할을 합니다. 또한 창업 준비 체크리스트를 통해 창업 과정에서 필요한 절차와 준비 사항을 꼼꼼히 점검할 수 있습니다.

6.1 사업 계획서 작성 가이드

1) 사업 목표와 운영 계획 수립

사업 계획서는 사업의 목표를 명확하게 설정하고, 이를 달성하기 위한 운영 계획을 세우는 첫 단계입니다. 다음의 주요 항목을 포함하여 사업의 운영 기반을 명확히 정리할 수 있습니다.

사업의 비전과 미션 설정: 위에서 설명드렸듯이, 비전은 사업이 이루고자 하는 장기적인 목표이며, 미션은 브랜드가 고객에게 전달하고자 하는 가치와 의지를 나타냅니다. 예를 들어, "반려동물과 보호자의 행복한 삶을 돕는 맞춤형 서비스를 제공한다"는 비전과 "반려동물의 건강과 편안함을 최우선으로 하는 진정성 있는 서비스를 제공한다"는 미션을 세울 수 있습니다.

비전과 미션을 통해 브랜드는 단순히 반려동물 관리와 케어 서비스를 제공하는 것을 넘어, 보호자에게는 신뢰와 감동을, 반려동물에게는 안전과 행복을 제공하는 역할을 수행하게 됩니다.

사업 목표 설정: 구체적이고 달성 가능한 목표를 설정합니다. 예를 들어, 첫 해 내에 고객 500명 확보, 1년 내 특정 매출 목표 달성 등 실질적인 목표를 세워 운영 전략을 구체화합니다.

운영 계획 수립: 매출 목표와 고객 유입 방안, 서비스 종류와 가격 정책, 고객 관리 시스템 등 세부적인 운영 방안을 마련합니다. 반려동물 유치원이나 호텔을 운영하는 경우, 반려동물의 수용 규모, 직원 배치 계획, 운영 시간, 제공할 서비스 종류 등을 포함해 구체적으로 작성합니다.

2) 사업의 성장 전략

사업이 지속적으로 성장하기 위해서는 장기적인 성장 전략을 마련해야 합니다. 이를 통해 경쟁사와 차별화된 서비스를 구축하고, 변화하는 시장 환경에 대비할 수 있습니다.

시장 분석과 타깃 고객 설정: 반려동물 산업의 성장 가능성을 분석하고, 타깃 고객층의 성향과 요구를 파악해 세분화된 고객층을 설정합니다. 이를 기반으로 서비스와 마케팅 전략을 세워, 반려동물 보호자가 지속적으로 관심을 가질 수 있는 사업으로 성장할 수 있습니다.

차별화된 서비스 개발: 경쟁사와 차별화된 서비스를 통해 고객의 충성도를 높입니다. 예를 들어, 프리미엄 반려동물 스파, 생애주기별 맞춤 케어, 유기견 지원 프로그램 등을 통해 브랜드의 사회적 책임과 가치를 전달할 수 있습니다.

브랜드 확장과 서비스 개선: 장기적으로 브랜드 확장 가능성을 고려하여, 서비스 품질을 개선하고 추가적인 서비스 옵션을 개발하는 전략을 마련합니다. 예를 들어, 프랜차이즈 확장 계획이나 신규 서비스 도입 계획 등을 포함할 수 있습니다.

6.2 창업 준비 과정 점검

창업 준비 과정에서는 필요한 법적 절차와 인허가 사항을 미리 정리하고, 체크리스트를 통해 필요한 사항들을 점검합니다. 이를 통해 창업 과정에서의 실수를 줄이고, 모든 준비 사항을 체계적으로 관리할 수 있습니다.

1) 법적 절차, 인허가 사항 정리

창업에는 다양한 법적 절차와 인허가가 필요합니다. 반려동물 사업의 경우 동물 보호법과 관련된 규정을 준수하고, 필수 인허가를 사전에 준비하는 것이 중요합니다.

사업자 등록: 국세청에서 사업자 등록을 진행하고, 사업의 형태와 세금 유형을 설정합니다.

인허가 사항: 반려동물 사업을 운영하기 위해 필요한 인허가 사항을 확인합니다. 동물 호텔, 유치원, 미용실 등은 동물 관련 인허가와 위생 관리 기준을 준수해야 합니다. 예를 들어, 동물보호법에 따라 허가된 기준에 맞는 위생 설비와 안전 설비를 갖추어야 합니다. 자세한 인허가 사항은 각 지자체 담당 공무원에게 문의하는 것이 가장 효율적이다.

애견 사업을 위한 사업자 등록 절차

1. 상가 계약 체결

애견 사업을 위한 첫 걸음은 적절한 사업장을 선정하고 상가 계약을 체결하는 것입니다. 사업장 위치 선정은 고객 접근성, 주변 환경, 경쟁업체의 분포 등을 고려하여 결정합니다. 이때, 상가가 위치한 건물의 근린생활시설 업종이 1종 또는 2종인지 확인해야 합니다. 중개사가 이와 관련하여 문제가 없다고 언급할지라도, 반드시 계약 전 관할 부서에 연락하여 허가 관련 사항을 확인하고, 이상이 없음을 확신한 후 계약을 진행해야 합니다. 중개사는 이와 관련된 책임을 지지 않으므로 주의가 필요합니다.

2. 시설 준비 및 법적 기준 맞추기

계약한 상가에 필요한 시설을 설치합니다. 이때, 애견 호텔이나 애견 카페 등 동물 관련 사업장으로서의 법적 기준을 충족시키는 것이 중요합니다. 해당 기준은 동물 복지 및 보호, 위생 관리 등을 포함할 수 있으며, 지역에 따라 다를 수 있습니다.

3. 허가 신청 및 현장 실사

시설 준비가 완료되면 관할 시청에 사업 허가를 신청합니다. 신청 후 시청에서는 현장 실사를 진행하여 시설이 법적 기준에 부합하는지 확인합니다. 모든 기준을 만족시킨 후에 허가증을 발급받을 수 있습니다.(최대 2주 소요)

4. 사업자등록증 발급

허가증과 상가계약서 그리고 신분증을 준비하여 국세청을 방문하거나 홈택스를 통해 사업자등록을 신청합니다. 이 과정을 통해 사업자등록증을 발급받게 되며, 이 등록증은 사업장에 게시해야 합니다.

5. 사업 개시

사업자등록증을 받은 후에는 사업을 개시할 수 있습니다. 애견사업을 운영하면서 지속적으로 법적 요구사항을 준수하고, 정기적인 점검 및 관리를 통해 사업의 지속 가능성을 확보해야 합니다.

2) 체크리스트 기반의 창업 준비 사항 검토

체계적인 창업 준비를 위해서는 체크리스트를 활용해 필요한 준비 사항을 점검합니다. 아래와 같은 항목을 포함하여 체크리스트를 작성하고, 각 준비 사항이 완료될 때마다 체크하여 진행 상황을 관리합니다.

시설 및 설비 준비: 반려동물 사업에 필요한 시설과 설비가 완비되었는지 확인합니다. 위생 관리 설비, 놀이 및 휴식 공간, 미용실의 장비 등이 준비되어 있어야 합니다.

*아래 체크리스트에는 필수 장비 외 추가 장비가 포함되어 있습니다.

1) 애견미용 시설 및 설비 준비 체크리스트

- **미용 장비:**

기본 장비(가위, 클리퍼, 빗 등)

드라이기, 블로어, 미용 테이블 (조절 가능한 높이)

각종 헤어케어 제품(샴푸, 컨디셔너, 스프레이 등)

클리퍼 날 및 가위 소독기

- **위생 설비:**

소독기 및 위생 관리 용품

전용 세척실 및 배수 시스템

오수 처리 시설(배수 구역이 없는 경우)

- **목욕 공간:**

미끄럼 방지 바닥 및 방수 재질의 벽 마감

전용 욕조와 물 온도 조절기

배변 청소용 드레인 설치

- **반려동물 안전 장비:**

반려동물 전용 목줄 및 안전 고정기

물림 방지 장비 및 보호용품

- **대기 공간:**

보호자 대기 공간과 반려동물 케이지 분리

2) 애견호텔 시설 및 설비 준비 체크리스트

- **숙박 시설:**

반려동물 전용 침대 및 담요

소형 및 대형견용 케이지/개별 룸

조도 조절이 가능한 조명 설치 (차분한 분위기)

- **위생 설비:**

실내 소독기 및 공기 청정기

배변 청소 시스템 및 전용 쓰레기통

위생 관리 용품(배변패드, 살균제, 청소 용품)

- **놀이 공간:**

실내 및 실외 놀이 공간 확보 (안전 울타리 설치)

장난감과 반려동물 체력 소모를 위한 장비(터널, 미끄럼틀 등)

반려동물이 자유롭게 뛰어놀 수 있는 바닥 재질(방수 및 미끄럼 방지)

- **모니터링 장치:**

CCTV 설치로 보호자가 반려동물을 확인할 수 있는 시스템

온도와 습도 조절 장치(냉난방, 환기 시스템)

- **급식 및 급수 설비:**

자동 급식기 및 급수기(개별 맞춤식으로 설정 가능)

사료 보관용 밀폐형 저장고

- **응급 키트와 안전 장비:**

응급 처치 키트 및 구급 상자

비상시 대처를 위한 기본 안전 장비

3) 애견유치원 시설 및 설비 준비 체크리스트

- **교육 및 놀이 설비:**

반려동물 훈련용 장비(터널, 허들, 슬라이드 등)

반려동물 상호작용을 위한 장난감과 놀이 기구

실내 및 실외 놀이 공간 구분 (안전 울타리 설치)

- **위생 관리 시설:**

실내 소독기 및 공기 정화기

배변 청소 용품(배변패드, 분리형 쓰레기통)

바닥 청소 및 살균제, 물걸레 청소기 등 위생 용품

- **휴식 공간:**

소형, 중형, 대형 반려동물용 침구류와 매트

보호자와 반려동물을 위한 별도의 대기 공간 및 보호자 방문 시 상담 공간

- **놀이 및 학습 구역 안전 설비:**
  반려동물이 다칠 위험이 없는 소재의 놀이기구 사용
  미끄럼 방지와 방수 바닥 마감재 적용
  실내 온도와 습도 조절 장치

- **교육 및 훈련 기록 시스템:**
  훈련 기록 관리 시스템(문서 또는 디지털 파일)
  보호자에게 피드백 제공을 위한 영상 기록 장치

- **응급 상황 대비 설비:**
  응급 처치 키트 및 안전 용품
  반려동물 행동 및 건강 상태를 모니터링할 수 있는 CCTV

이렇게 세분화된 체크리스트를 통해 각 서비스에 필요한 시설과 설비를 체계적으로 준비할 수 있으며, 서비스별로 요구되는 시설과 설비를 빠짐없이 점검할 수 있습니다.

인테리어 및 환경 구축: 반려동물과 보호자, 직원 또는 경영주가 편안하게 머물 수 있는 인테리어와 동선이 확보되었는지 점검합니다. 반려동물의 안전과 청결을 위한 환경이 조성되었는지 확인합니다.

운영 준비 사항 점검: 직원 채용과 교육, 고객 관리 시스템, 서비스 예약 시스템 등 운영에 필요한 사항이 준비되었는지 점검합니다.

홍보 및 마케팅 준비: 브랜드 웹사이트, SNS 계정, 온라인 및 오프라인 마케팅 전략이 준비되었는지 확인합니다. 초기에 고객을 유치하기 위한 프로모션이나 이벤트 계획도 함께 준비합니다.

이와 같은 사업 계획서와 창업 준비 체크리스트를 통해, 반려동물 사업을 보다 체계적이고 효율적으로 준비할 수 있습니다.

제 2 화 사업 공간 계약 및 설계와 인테리어

인테리어 비용, 얼마나 책정해야 할까?

애견샵 인테리어 비용은 사업의 성격, 상권, 그리고 공간의 규모에 따라 크게 달라질 수 있습니다. 일반적으로 디자인 업체를 통해 진행하는 경우 평당 150~200만 원이 적정선으로 평가됩니다. 하지만 이 금액은 기본적인 마감재와 시설을 기준으로 한 것으로, 추가적인 요구사항이나 업종별 특화된 설계에 따라 더 높은 비용이 들 수 있습니다.

추가 고려 사항:

1. 업종별 특화 요소:

- **애견미용실:** 미용 테이블, 세척 공간, 방수 바닥재, 방음 시설 등 업종 특성에 맞는 설계가 필요합니다.
- **애견유치원/호텔:** 안전한 펜스, 미끄럼 방지 바닥재, 공기청정 시스템, 소음 방지 시설 등이 필수적입니다.
- **애견카페:** 카페와 반려동물 공간의 동선 분리, 위생 설비 강화 등 추가 비용이 발생할 수 있습니다.

2. 기본 설비 포함 여부: 디자인 업체 견적에는 통상적으로 바닥, 천장, 벽 마감과 같은 기본 공사가 포함됩니다. 그러나:

- **전기 공사:** 추가 콘센트 설치, 조명 변경 등은 별도 비용으로 책정될 수 있습니다.
- **급·배수 공사:** 물 사용이 많은 미용실, 호텔의 경우 배관 공사가 추가 비용으로 포함될 수 있습니다.

3. 디자인과 브랜드 요소

- 매장의 브랜드 정체성을 반영한 특화된 디자인을 원한다면 기본 비용보다 10~20% 이상 추가될 가능성이 높습니다.

인테리어 공사 항목의 구분 및 관리 방법

인테리어 공사는 크게 기본공사와 별도공사로 나눌 수 있습니다. 각각의 공사 항목을 명확히 구분하고 관리하는 것이 중요합니다.

기본공사

기본공사는 인테리어 업체가 책임지고 진행하는 공사로, 업체에서 제공하는 서비스의 범위 내에서 이루어집니다. 이는 주로 인테리어의 기본적인 구조와 설비를 다루며, 다음과 같은 항목을 포함합니다

- 설비공사: 배수공사, 배관공사, 구배공사, 주방 정화조(그리스트랩), 화장실 배수구 등
- 전기공사: 작업선 및 작업등 설치, 배관 배선, 콘센트 및 스위치, 분전함 신설
- 목공공사: 외부 가설공사, 내장공사(벽면 및 내부마감, 천장)
- 금속 및 유리공사: 파티션, 하지, 도어, 선반, 외부 바닥 하지작업, 복층, 실리콘 마감
- 도장공사: 내부 및 외부 페인트 작업
- 타일공사: 벽체 및 바닥 타일 시공
- 가구: 붙박이 가구(카운터 바, 벤치체어 등)
- 내부 덕트: 후드, 브로워 및 부자재
- 조명: 기본조명, 레일등
- 청소: 준공 청소

별도공사

별도공사는 소비자가 직접 관리하고 비용을 부담해야 하는 공사입

니다. 이 공사는 인테리어 업체의 범위를 벗어나 소비자가 직접 전문업체를 섭외하여 진행합니다. 별도공사는 보통 특수한 설비나 맞춤형 요구사항이 필요한 경우에 발생하며, 예산을 따로 책정하고 계획해야 합니다.

관리 및 실행

인테리어 공사 시 기본공사와 별도공사를 명확히 구분하고 각각에 적합한 전문 업체와 협력하여 공사를 진행하는 것이 중요합니다. 모든 공사 항목과 관련된 계획은 계약 전에 명확하게 합의하고, 예상 비용과 일정을 철저히 관리하여 예산 초과와 시간 지연을 최소화해야 합니다. 이와 같은 체계적인 접근은 공사의 효율성을 높이고 최종 결과의 만족도를 극대화하는 데 기여할 것입니다.

필수 별도 공사	
철거 공사	철거 가설 폐기물 처리
외부 공사	외부 간판, 창호, 복도 매장 사인물
냉난방 공사	냉난방기 설치 및 교체
이동식 가구	이동식 가구 기타 소품

업종에 따라 필요한 별도 공사	
전기승압	전기 증설, 간선 , 분전함 신설
제작가구	매장 디자인을 고려한 가구 제작
보강공사	건물구조 보강공사
위생기구	세면기, 변기
소방공사	스프링클러,방염처리, 화재보험
닥트공사	닥트
음향기기	스피커

사업자 등록 전 인테리어 비용 처리 방법

애견샵을 창업할 때, 사업자 등록 전에 발생한 인테리어 비용은 어떻게 처리할까요? 허가 업종인 애견샵은 공사가 완료된 후에 사업자 등록을 진행하게 됩니다. 이 과정에서 사업자 등록 전에 발생한 비용을 효과적으로 처리하는 방법은 다음과 같습니다:

1. **세금계산서 수령:** 사업자 등록 전에 발생한 비용에 대해 개인 신분으로 세금계산서를 받습니다.

2. **사업자 등록 적시에 완료하기:** 세금계산서를 받은 날짜로부터 과세 기간이 끝나고 20일 이내에 사업자 등록을 완료해야 합니다.
3. **비용 반영:** 사업자 등록이 완료되면, 세금계산서를 사업자의 매입세금계산서로 처리하여 회계에 반영합니다.

이러한 절차를 통해 사업자 등록 전에 발생한 인테리어 비용을 정상적으로 비용 처리할 수 있습니다.

애견샵 인테리어 계획에서 계약까지의 절차

1. 현장 실측 및 초기 조사

- 매장의 크기와 형태를 측정하고, 기존 설비의 상태 및 위치를 확인합니다. 이 단계에서 주요 문제점을 파악하고, 철거가 필요한 부분과 보강이 필요한 부분을 식별합니다. 이 정보는 추후 설계 및 비용 계산의 기초가 됩니다.

2. 설계 및 디자인

- 현장 실측 정보를 바탕으로 설계 도면을 작성합니다. 매장의 컨셉과 고객의 예산을 고려하여 디자인 아이디어를 개발합니다. 디자인 업체와의 첫 미팅에서 원하는 인테리어 스타일과 필요 사항을 상세히 논의하고, 적절한 자재와 스타일을 결정합니다. 필요에 따라 여러 번의 수정을 거쳐 최종 디자인을 확정합니다.

3. 견적 및 비용 조정

- 설계와 디자인이 확정되면, 전체 인테리어 공사에 대한 견적을 작성합니다. 이 단계에서는 공사 범위, 사용할 자재, 인건비 등을 포함하여 비용을 산출합니다. 견적은 매장 운영 예산을 초과하지 않도록 조정되며, 최적의 가격 대비 효과를 달성하기 위해 여러 업체의 견적을 비교할 수도 있습니다.

4. 계약 체결

- 모든 조건이 만족스러울 경우, 인테리어 업체와 공식 계약을 체결합니다. 계약 문서에는 공사 범위, 비용, 자재, 공사 일정, 지불 조건 등이 명시되어야 합니다. 계약서는 미래에 발생할 수 있는 어떠한 오해나 분쟁도 예방하는 법적 문서로 작용합니다.

이 절차를 거치면 애견샵의 인테리어 공사가 효율적이고 체계적으로 진행될 수 있으며, 고객의 만족도를 극대화하고 장기적인 비즈니스 성공을 도모할 수 있습니다. 이 내용은 창업 초기 계획 및 실행과 관련된 목차에 배치하는 것이 적합합니다.

상가 선정과 계약 절차

반려동물 사업의 성공을 위해서는 적합한 상가를 선택하고 철저히 계약 절차를 준비하는 것이 중요합니다. 상가의 입지는 고객 접근성에 큰 영향을 미치며, 사업의 수익성에도 결정적인 역할을 합니다. 이 장에서는 상권 분석과 입지 선택 방법, 그리고 임대 계약 시 주의할 사항들을 다룹니다.

1) 상권 분석과 입지 선택

1. 지역 특성과 고객 수요 분석

타겟 고객 분석: 반려동물 사업의 주요 고객은 1인 가구, 젊은 부부, 반려동물을 가족처럼 여기는 보호자들입니다. 이런 고객층이 많은 지역을 타겟으로 상권을 분석하는 것이 중요합니다. 특히, 1인 가구가 밀집한 지역이나 원룸이 많은 주거 지역은 반려동물 서비스 수요가 높을 가능성이 큽니다

.

네이버 키워드 검색을 활용한 수요 예측: 네이버 광고의 키워드 검색을 통해 해당 지역에서의 실제 수요를 파악할 수 있습니다. 예를 들어, "평택 애견호텔"과 "수원 애견호텔"의 검색량을 비교해 해당 지역의 수요 규모와 관심도를 예측할 수 있습니다.

2. 입지 유형별 특성 파악

주거 지역 vs. 상업 지역: 주거 지역은 안정적이고 장기 고객을 확보하기에 유리한 반면, 상업 지역은 높은 접근성을 통해 신규 고객 유입을 기대할 수 있습니다. 또한 주거 지역의 경우, 신축 아파트보다는 오랜 거주자들이 많은 기존 주택가가 지출 여력이 높다는 특징이 있습니다.

상권 내 경쟁자 분석: 같은 지역 내에 이미 반려동물 사업을 운영하는 경쟁자가 있는지, 있다면 어떤 차별화 요소를 제공할지 고민해봐야 합니다. 경쟁자가 많지 않은 상권은 초기 고객 확보에 유리하며, 경쟁이 치열한 지역에서는 차별화된 서비스가 필수적입니다.

애견샵 상권 선택 가이드

애견샵을 운영할 때는 상권의 특성과 유형을 명확히 이해하고, 사업 모델에 맞는 입지를 선택하는 것이 중요합니다. 애견호텔과 유치원, 분양업과 같은 각기 다른 서비스 유형에 따라 적합한 상권 조건이 달라지므로, 상권을 세심하게 분석하고 입지를 결정하는 것이 성공의 열쇠입니다.

상권 유형별 애견샵 입지 추천

- **동물용품 판매**

위치: 1층 추천

특징: 생활권과 가까워 접근성이 좋은 곳이 이상적입니다. 만약 특화된 제품이나 브랜드를 보유하고 있다면, 이동 수요가 많은 교통량이 큰 대로변도 좋은 위치가 될 수 있습니다. 접근성 높고 노출이 쉬운 자리에 위치하면 잠재 고객이 자연스럽게 유입될 가능성이 큽니다.

- **위탁업(호텔, 유치원) 상권**

추천 상권: 배후 인구가 많은 원룸, 오피스텔 밀집 지역

위치: 층수와 무관

특징: 고객 편의를 위해 주차 공간과 접근성이 좋은 위치가 중요합니다. 고객의 반려동물 숙박, 케어 서비스를 운영할 경우 특히 주차장 접근성이 중요하며, 내부 시설이 편안하고 안정적일수록 고객 신뢰를 높이는 데 유리합니다.

설명: 위탁 서비스는 특히 1인 가구가 많은 원룸과 오피스텔 상권에서 높은 수요를 보입니다. 아파트 단지를 중심으로 하는 상권에 호텔과 유치원이 입점할 경우, 3인 이상 가족구성원이 많아 강아지가 집에 있는 시간이 더 길기 때문에 위탁 수요가 낮을 수 있습니다. 아파트 상권은 픽업 서비스를 통해 보완하는 것이 좋습니다.

- **분양업 상권**

추천 상권: 유동 인구 중심 상권

위치: 1층 선호 (역세권이나 주요 상권)

특징: 대중교통 이용이 용이한 역세권, 중심대로 등 사람들이 많이 지나다니는 상권이 유리합니다. 만약 온라인 홍보와 예약제로 운영할 계획이라면, 2층 이상의 위치도 고려할 수 있습니다. 다만, 이 경우 방문 유도를 위한 온라인 홍보 비용을 추가로 감당할 준비가 필요합니다. 낮은 월세로 초기 안정적인 운영이 가능하나, 홍보에 투자할 필요성을 염두에 두세요.

설명: 강아지 분양은 즉각적인 구매가 이루어질 가능성이 높은 유동 인구가 많은 상권에서 유리합니다. 수원역, 노원역과 같이 하루 2만 명 이상의 유동 인구가 있는 상권이 적합할 수 있습니다. 단, 유동 인구가 많은 상권은 임대료가 비싸기 때문에, 비용 대비 수익성을 고려해야 합니다.

- **미용 및 병원 상권**

추천 상권: 아파트 밀집 지역

위치: 1층 추천 (인지도 있는 미용사의 경우 2층 이상 가능)

특징: 사업주나 미용사의 인지도가 없을 경우, 생활권과 가까운 상권의 1층에 위치하는 것이 이상적입니다. 지역 거주민과 밀접한 생활권 속에서 신뢰를 구축하면 단골 고객을 만들기 쉽습니다. 만약 경험이 풍부하고 인지도가 있는 미용사라면, 낮은 월세로 안정적 운영이 가능한 2층 이상도 충분히 경쟁력을 발휘할 수 있습니다.

설명: 아파트 단지 내 상권에서는 애견 미용과 동물병원이 좋은 수익을 낼 수 있습니다. 가족 단위 거주자가 많은 아파트 상권은 강아지의 미용 및 의료 수요가 높기 때문입니다. 단, 높은 임대료와 상권 내 경쟁을 고려해야 하므로 신중하게 접근해야 합니다.

상권 선택 시 유의사항

- **신생 상권과 권리금 상권**

주의점: 신생 상권은 임대료가 높고 상권 형성이 완전히 이루어지지 않아 운영에 어려움을 겪을 수 있습니다. 따라서, 신생 상권의 임대료가 적정 수준으로 내려가고 상권이 형성된 후에 진입하는 것이 좋습니다.

권리금: 권리금이 형성된 상권 진입 시에도 주의가 필요합니다. 특히, 다른 애견샵이 실패한 자리에 입점하는 경우, 기존의 실패 원인을 충분히 분석해야 합니다.

- **역 근처 구도심 상권**

장점: 역 근처 구도심 상권은 비교적 낮은 임대료와 안정적인 배후 수요를 제공합니다. 안정적인 고객 기반을 확보할 수 있어 운영 리스크가 적습니다.

- **1층과 2층 이상의 상권**

1층 상가: 만약 상가가 1층에 위치한다면 상가 앞의 자동차 운행 속도를 확인해야 합니다. 자동차 속도가 시속 60km 이상인 도로는 보행자의 이동 속도가 빨라 상점에 들를 가능성이 낮아지기 때문에 피하는 것이 좋습니다.

2층 이상 상가: 2층 이상의 상가에 입점할 경우, 네이버, 블로그, 인스타그램, 유튜브 등 온라인 플랫폼을 통한 홍보 능력이 필요합니다. 또한, 2층 이상 상가의 경우, 건물 내에 편리하게 이용할 수 있는 주차장이 있어야 합니다. 특히 여성 고객이 많은 애견샵 특성상 초보 운전자도 쉽게 주차할 수 있는 공간이 필수입니다.

요약

애견샵 상권 선택 시에는 **서비스 유형**에 따라 상권의 특성을 파악하고, 신생 상권 진입과 권리금 상권의 리스크를 신중히 검토해야 합니다. **배후 수요가 튼튼한 역 근처 구도심 상권과 원룸, 오피스텔 중심 상권**은 안정적 운영이 가능한 지역으로 추천되며, 입점 층수에 따라 필요한 홍보와 주차 환경까지 고려해야 합니다.

애견샵 상가 선택 시 폐업 이력 확인이 필수입니다

애견샵 창업을 고려할 때, 공인중개사가 추천하는 상가가 **이전에 애견샵이 폐업한 자리인지 확인하는 것이 중요**합니다. 공인중개사는 부동산 거래에 집중하기 때문에 입지에 문제가 있던 상가를 소개할 가능성도 있습니다. 이를 방지하려면 **네이버 지도 로드뷰**를 활용해 상가의 과거 이력을 살펴보십시오. 로드뷰로 상가 위치를 확인하면, 애견샵이 운영되다 폐업한 곳인지 파악할 수 있어 입지적 한계가 있는 장소를 피할 수 있습니다.

상가 권리금이 높다고 투자가치도 높을까?

상가 권리금이 높다고 해서 반드시 투자가치가 높은 것은 아닙니다. 권리금은 법적 보호를 받기 어렵고, 사실상 기존 세입자가 설정한 가격이기에 그 가치에 대해 신중히 판단해야 합니다. 잘못된 권리금 지급은 불필요한 손실로 이어질 가능성이 높습니다. 아래는 권리금과 관련해 꼭 확인해야 할 사항들입니다.

1. 권리금의 실제 가치 판단

- 권리금은 보증금과 달리 법적 보호가 제한적이며, 상가의 실질적 가치를 반영하지 않을 수 있습니다.
- 기존 세입자가 제시한 권리금이 그만한 가치를 하는지 면밀히 검토해야 합니다.
- 권리금의 이유: 기존 고객층이 얼마나 있는지, 시설이나 인테리어가 얼마나 활용 가능한지 등을 확인하세요.
- 기존 세입자의 상황: 해당 상가가 망하고 나오는 자리인지, 임대차 기간이 얼마나 남았는지 반드시 파악해야 합니다.

2. 기존 애견샵 자리의 위험성

- **기존 애견샵 운영 장소는 신중히 검토해야 합니다.**
- 이런 매물의 흔한 멘트는 "건강 문제로", "다른 사업을 준비 중이라" 등이지만, 실제로는 장사가 잘 안 돼 권리금을 받고 나가려는 경우가 많습니다.
- 만약 해당 상권에서 애견샵이 폐업했다면, 입지적 한계나 운영

상의 문제가 있을 가능성이 매우 높습니다.

- 특히, 해당 상가가 이전에도 다른 이름으로 운영되었다면, 이는 단순히 한 번의 실패가 아닌 반복적으로 동일한 어려움을 겪은 장소일 가능성이 큽니다. 이는 입지적 한계 또는 고객 수요 부족 등의 구조적인 문제 때문일 수 있습니다.

3. 돈이 되는 상가와 권리금의 관계

- "돈이 되는 곳은 쉽게 남에게 넘기지 않는다"는 말처럼, 정말 매출이 잘 나오는 상가는 기존 세입자가 굳이 떠날 이유가 없습니다.
- 권리금이 높더라도 그만한 매출이나 안정성을 보장받지 못하면, 결과적으로 실패 확률이 높아집니다.

4. 초기 세팅과 입지적 한계

- 기존 애견샵 자리를 인수하면 시설이나 초기 준비는 편리할 수 있습니다. 그러나, 입지와 고객 수요에 근본적인 문제가 있다면, 같은 문제로 실패할 가능성이 큽니다.
- 특히, 상가가 반복적으로 인수되는 경우라면, 이는 단순히 사업자의 운영 미숙이 아닌, 해당 상가 자체의 입지적 문제로 볼 수 있습니다. 새로운 운영자도 이전 운영자가 겪은 동일한 어려움에 직면할 가능성이 높습니다.

결론

권리금이 높은 상가를 선택할 때는 반드시 그 가치를 검토해야 합니다.

- 권리금의 이유와 실제 매출 가능성을 명확히 파악하세요.
- 기존 상가가 가진 입지적 한계나 운영상의 문제를 냉정하게 분석해야 합니다.
- 특히, 반복적으로 운영자가 교체된 상가는 구조적인 문제일 가능성이 높으니 더욱 신중해야 합니다.

돈이 되는 상가는 권리금을 높게 받고 쉽게 남에게 넘기지 않는다는 점을 기억하고, 투자는 철저한 분석을 기반으로 해야 합니다.

월세가 높으면 좋은 상권일까?

월세가 높다고 반드시 좋은 상권이라고 단정할 수는 없습니다. 특히 신도시의 경우, 초기 단계에서 월세가 과도하게 책정되는 사례가 흔합니다. 건물주 입장에서 월세는 건물의 가치를 직접적으로 반영하기 때문에, 높게 부르고 나가지 않아도 손해를 보지 않는 경우가 많습니다. 지가 상승이라는 수혜를 입기 때문입니다.

왜 월세가 높을까?

- **건물주의 전략:** 건물주는 월세를 높게 설정해도 급하게 임대를 내놓을 필요가 없습니다. 이는 건물 가치 상승에 기여하기 때문입니다.
- **신도시 특성:** 신도시는 입주 초기부터 상권이 안정되기까지 시간이 걸리며, 월세가 시장의 실제 수요보다 과대 평가될 가능성이 큽니다.

월세가 높은 상권이 반드시 좋은 상권은 아니다.

- 높은 월세가 곧 안정적이고 수익성 높은 상권을 의미하지는 않습니다.
- 중요한 것은 상권의 실제 고객 수요와 월세에 대한 감당 가능성입니다.
- 초기 비용과 운영 비용을 고려해 **내가 감당할 수 있는 수준의 월세를 가진 상권**을 선택해야 합니다.

올바른 상권 선택의 기준

- 수익 대비 월세 비율: 예상 매출 대비 월세가 적정 비율(일반적으로 매출의 15~20%) 이내여야 합니다.
- 상권의 성장 가능성: 초기 높은 월세가 상권이 형성되면서 실제로 고객 수요를 충족시킬 수 있는지 판단해야 합니다.
- 임대료 협상: 월세가 너무 높게 책정되어 있다면, 입점 전 건물주와 임대료 협상이 가능한지 검토해 보세요.

결론 월세가 높은 상권이라고 무조건 좋은 상권이라고 볼 수는 없습니다. 중요한 것은 **내가 감당할 수 있는 월세와 상권의 안정성과 성장 가능성**을 함께 고려하는 것입니다. 월세가 부담스럽다면, 다른 위치를 선택하거나 초기 비용이 낮은 대안을 찾아보는 것이 장기적인 사업 성공에 유리합니다.

신축 및 구축 상가 선택 시 고려사항

상가를 선택할 때는 신축과 구축 각각의 특성에 따라 다음과 같은 요소들을 꼼꼼히 검토해야 합니다:

1. 신축 상가 검토 사항:

- **전기승압 여부:** 전기용량이 비즈니스 요구를 충족시키는지 확인합니다.
- **배수 시설:** 배수 시설의 적절성과 문제 여부를 점검합니다.
- **채광 및 환기:** 자연광의 접근성과 공간의 통풍 상태를 확인합니다.
- **주변 인프라:** 주변에 민원을 제기할 가능성이 있는 주민들이 있는지 확인합니다.
- **천장 높이와 닥트 설치 위치:** 공간의 활용도와 기능성을 고려합니다.
- **에어컨 설치:** 기존 설치된 시스템의 상태와 추가 설치 필요성을 검토합니다.
- **관리 비용:** 건물 관리에 드는 비용과 그에 포함된 서비스 범위를 확인합니다.

2. 구축 상가 검토 사항:

- **구조적 안정성:** 건물의 구조적 문제점이나 필요한 보수 작업을 식별합니다.
- **철거 및 보수 필요성:** 철거가 필요한 부분과 보수해야 할 부분

을 세심하게 조사합니다.

- **장기적 유지보수:** 구축 상가는 유지보수 비용이 더 많이 발생할 수 있으므로 장기적 비용을 고려해야 합니다.

다중 이용 건물의 소방법 준수 및 인테리어 계획

다중 이용 건물에서 사업을 운영할 때는 소방법 준수가 매우 중요합니다. 특히 관리 소장이 있는 건물의 경우, 소방 안전 규정에 따라 엄격한 기준을 충족시켜야 합니다. 상가의 인테리어를 계획할 때 이러한 요소를 사전에 고려하는 것이 필수적입니다.

건물 내 모든 공간, 특히 바닥에서 천장까지 막힌 공간에는 열감지기 센서 설치가 필수입니다. 이러한 센서들은 화재 발생 초기에 빠르게 화재를 감지하여 대응할 수 있게 해주므로, 인테리어 작업을 시작하기 전에 반드시 설치 위치와 요건을 확인해야 합니다.

만약 인테리어를 시작한 후 소방 설비 기준을 충족하지 못한다면, 추후 추가 시공이 필요할 수 있으며 이는 예상치 못한 비용 증가로 이어질 수 있습니다. 따라서, 인테리어 설계 초기 단계에서 소방법 준수를 위한 체계적인 검토와 계획이 필요합니다.

이처럼 초기 설계 단계에서 소방 안전 요소를 철저히 통합함으로써, 나중에 발생할 수 있는 법적 문제나 추가 비용 발생을 사전에 방지할 수 있습니다. 다중 이용 건물에서 사업을 운영하려는 창업자들은 소방법을 준수하는 것이 단순한 법적 요건을 넘어 사업장의 안전과 장기적인 성공을 위한 필수 조건임을 인식해야 합니다.

2) 상가 임대 계약 시 주의사항

1. 임대 계약 절차와 필요 서류

임대 계약 절차: 임대 계약은 일반적으로 상가를 방문하여 계약 조건을 협의한 후, 계약서를 작성하여 법적 효력을 갖춥니다. 계약 과정에서는 임대인과의 조건 협의가 중요하며, 상가 위치와 임대 조건이 사업 계획에 부합하는지 반드시 확인해야 합니다.

필요 서류: 임대 계약 시 사업자 등록증, 신분증, 임대차계약서가 필요합니다. 또한 계약 기간과 보증금, 월세, 관리비 등의 비용 항목이 명확히 명시된 계약서를 확인하고, 계약 전 모든 항목을 꼼꼼히 검토해야 합니다.

적정한 월세 산정 방법

창업 초기에는 매출 예측이 쉽지 않기 때문에 월세를 적정하게 설정하는 것이 중요합니다. 일반적으로, 창업한 가게의 예상 일 매출의 약 3~5일치 합계가 적정한 월세로 여겨집니다.

이 계산법은 월세가 일 매출의 큰 비중을 차지하지 않도록 하여, 고정 비용에 대한 부담을 줄이고, 운영 초기에도 안정적으로 사업을 이어갈 수 있는 환경을 만들어줍니다.

예를 들어, 예상 일 매출이 30만 원인 경우, 적정 월세는 30만 원 x 5일 = 150만 원 정도가 적합한 기준이 됩니다. 이 방법을 통해 사업의 수익성을 유지하면서, 월세가 지나치게 높은 상가를 피할 수 있습니다.

전기료와 관리비 확인의 중요성

창업 준비 시 전기료와 관리비는 반드시 확인해야 할 중요한 비용 항목입니다. 반려동물 사업은 냉난방, 환기, 조명 등 전기 소모가 많아 전기료가 상당히 높아질 수 있습니다. 특히 여름과 겨울철에는 냉난방비가 급증할 수 있으므로, 월평균 전기료를 미리 확인해 예산을 효율적으로 관리하는 것이 중요합니다.

또한, 관리비에는 청소비, 공용 전기료, 수도료, 엘리베이터 유지비 등이 포함되며, 이 비용이 매월 고정적으로 발생하므로 사전에 정확한 금액을 파악해야 합니다. 일부 상가의 경우 관리비에 추가 항목이 포함될 수 있으므로 계약서에 기재된 관리비 항목을 꼼꼼히 확인해 예상치 못한 부담이 발생하지 않도록 주의해야 합니다.

실제 월세 계산법: 월세, 관리비, 부가세, 전기료 모두 고려하기

월세를 산정할 때는 단순히 계약서에 명시된 월세 금액만이 아니라, 관리비와 부가세, 전기료까지 모두 포함해 실제 월세를 계산해야 합니다. 예를 들어, 계약서상 월세가 150만 원이라도 관리비와 부가세, 전기료가 추가되면 실제로 지출하게 되는 금액은 더 커집니다.

- **월세**: 150만 원
- **관리비**: 20만 원 (공용 전기료 등 포함)
- **부가세**: 15만 원 (월세의 10% 부가세 적용)
- **전기료:** 건물 공용 전기료 외에, 우리 가게에서 실제 사용한 전기료는 별도로 청구됨

이를 모두 합하면, 매달 실제로 지출해야 하는 금액은 185만 원에, 가게에서 사용한 전기료가 추가됩니다.

따라서 계약서의 월세 금액 외에 관리비, 부가세, 별도 청구되는 전기료를 모두 포함한 실제 월세가 얼마인지를 정확히 파악하는 것이 중요합니다. 이를 통해 고정비 지출을 정확하게 예측하고 예산을 효율적으로 관리할 수 있습니다.

애견호텔, 유치원, 미용실 냉난방 비용 고려사항

애견호텔, 유치원, 미용실과 같은 반려동물 관련 사업의 경우, 여름과 겨울철에 실내 온도를 일정하게 유지하는 것이 매우 중요합니다. 특히 냉난방기의 지속적인 가동이 필수적이며, 이로 인해 전기료 부담이 상당할 수 있습니다.

보통 30평에서 45평 규모의 공간에서는 냉난방을 계속 가동할 경우, 월 20만 원에서 40만 원 정도의 전기료가 발생합니다. 이는 애견호텔과 유치원뿐만 아니라 애견미용실에도 적용되는 사항입니다. 미용실의 경우 반려동물이 편안하게 미용을 받을 수 있도록 온

도 관리를 철저히 해야 하므로, 냉난방 사용량이 많아지기 쉽습니다.

따라서, 냉난방 비용은 예산 계획 시 고정비로 반드시 포함해야 하며, 에너지 절감 효과가 있는 냉난방기 선택과 효율적인 사용 방법을 고려하는 것이 좋습니다.

상가 계약 전 필수: 토지이음을 통한 규제 사항 확인하기

동물 관련 사업을 창업하려면, 해당 지역의 규제 사항과 허가 가능 여부를 꼼꼼히 확인하는 것이 중요합니다. 동물 관련 업종은 전통적으로 **2종 근린생활시설**에서만 창업이 가능했지만, 2023년 4월에 입법이 예고된 **건축법 시행령 개정안**에 따라 소규모 동물병원, 동물미용실의 업종이 **1종 근린생활시설**에서도 가능하도록 변경될 예정입니다.

반려동물 용품만을 취급하는 소매업은 허가 없이 창업할 수 있지만, 위탁업, 분양업, 미용업과 같은 서비스 관련 업종은 규제가 있을 수 있으므로 주의가 필요합니다. **상가 계약 전에는 반드시 시청을 방문해 해당 업종의 허가 가능 여부와 구체적인 조건을 확인**해야 하며, **시청의 반려동물 영업 관련 부서와 건축과**에 상담하여 허가 요건을 명확히 파악하는 것이 중요합니다.

또한, **토지이음 사이트**를 이용해 창업 예정지의 주소를 입력하면 건물에 대한 규제와 허가사항을 직접 확인할 수 있습니다. 이를 통해 입지의 적합성을 미리 판단하고, 규제 요건을 고려한 상가를 선정함으로써 예기치 않은 창업 제약을 방지할 수 있습니다.

토지이음 사이트 활용 방법

- **창업하고자 하는 위치의 주소를 입력하여 확인.**
- **1종 또는 2종 근린생활시설 구분을 비롯한 건물 규제 확인.**
- **필요한 경우, 창업하고자 하는 업종에 따라 추가적인 시청 허가 사항을 파악.**

이렇게 규제 사항을 사전에 철저히 점검하면, 예기치 않은 허가 문제로 인해 발생할 수 있는 창업 지연이나 추가 비용을 예방할 수 있습니다.

인테리어 업체와 계약 시 주의사항 및 표준 계약서 확인하기:

1. 계약서의 형태 및 내용 점검

- 계약서는 표준계약서를 사용하는지 확인하세요. 표준계약서는 공정거래위원회 등에서 제공하는 것을 기준으로 해서, 공정하고 합리적인 조건이 많이 포함되어 있습니다.

- 견적서는 m^2 단위로 명시되어야 합니다. 일부 업체에서는 '식'이라고 표현하여 눈대중으로 견적을 제시하는 경우가 있는데, 이는 정확한 계산이 아니므로 피해야 합니다.

- '헤베'는 m^2를 나타내는 용어로, 일본식 현장 용어입니다. 견적서에서 이 용어가 정확하게 사용되었는지 확인해야 합니다.

2. 위약금 및 벌금 조항 검토

- 과도한 위약금이나 벌금 조항이 포함되어 있는지 확인하고, 미지급액의 3배와 같이 과도한 조건은 피해야 합니다. 위약금은 일반적으로 계약금 정도이며, 지연 이자는 공사 대금 미지급 시 요구될 수 있습니다.

3. 분쟁 요인 사전 예방

- 인테리어 중도금 및 잔금 지급 시기와 관련된 분쟁이 발생하지 않도록, 계약서에는 지급 일정뿐만 아니라 해당 날짜에 완료되어야 하는 공사의 진행률(기성)을 명시해야 합니다.

- 계약 해지 조건도 분명히 명시해야 합니다. 특정 사유가 발생했을 때 서면 통보로 계약을 해지할 수 있는 규정을 포함시켜야, 미종료 상태에서 발생할 수 있는 분쟁을 방지할 수 있습니다.

신중한 상가 선택과 다양한 사업 모델의 필요성

상가를 구할 때, 상가 임대 계약 전후로 임대인의 입장 변화에 주목해야 합니다. 상가를 선택하는 임대 계약 전에는 내가 '갑'으로 선택권을 가지지만, 계약 후에는 '을'이 되어 임대료와 계약 조건을 준수해야 합니다. 따라서 계약 전 신중하게 다양한 상가를 비교하고 분석하는 것이 중요합니다.

1.상가 임대료와 창업 실패의 관계

많은 창업 실패 사례가 과도한 상가 임대료와 인건비 부담에서 시작됩니다. 특히 월세가 높은 상가에 진입하려면, 단순히 한 가지 서비스로는 비용을 충당하기 어려울 수 있습니다.

2.다양한 사업 방향성의 중요성

높은 임대료를 감당하기 위해서는 다양한 사업 모델을 고려해야 합니다. 예를 들어:

- **애견 유치원 + 미용샵**
- **용품점 + 카페**
- **유치원 + 호텔 + 미용샵**

여러 서비스를 결합한 매장을 통해 매출을 다각화하고, 고정비를 충당할 수 있는 안정적인 운영이 가능합니다.

3.철저한 상가 분석과 신중한 선택

상가 선택 시에는 주변 상권의 경쟁 상태, 고객 유입 가능성, 적정 임대료 등을 철저히 분석해야 합니다. 계약 전 충분히 비교하고, 임대료에 따른 예상 수익 구조를 시뮬레이션해보는 것도 필요합니다.

2. 상가 계약 시 필수 체크리스트

임대 조건 확인: 임대 기간, 보증금, 월세, 관리비, 초기 수리 비용 등 모든 임대 조건을 명확히 확인하고, 이를 바탕으로 계약서를 작성합니다.

상가 시설 점검: 전기, 수도, 냉난방 시설 등이 제대로 작동하는지, 그리고 반려동물 사업 운영에 필요한 환기나 배수 설비가 충분히 갖추어져 있는지 확인합니다. 사업에 필수적인 설비가 미비한 경우, 임대인과 협의해 설치 비용 부담 여부를 명확히 합니다.

계약 갱신 및 해지 조건: 장기 임대가 필요한 경우 계약 갱신 조건을 미리 확인하고, 예기치 않은 상황에서 계약을 해지해야 할 때의 조건도 반드시 체크합니다.

3. 임대 조건 협상과 계약서 이해하기

임대료 협상: 초기 사업 준비 단계에서는 매출 예측이 어렵기 때문에, 임대료가 합리적인 수준인지 협상해 볼 필요가 있습니다. 초기 1년간 임대료 인하나 공사기게에 1달~2달 면제(렌탈프리) 기간을 요청하는 것도 가능하며, 임대인이 이에 동의하는 경우 계약서에 명확히 기재해야 합니다.

특약사항 추가: 반려동물 사업은 특수한 공간 관리가 필요하기 때문에, 소음이나 냄새 문제와 관련하여 임대인과 사전에 합의된 사항을 특약에 명시합니다. 이 외에도 시설 수리나 개조가 필요한 경우 임대인과의 협의 사항을 계약서에 기록해 추후 분쟁을 방지합니다.

임대차 계약 시 고려사항

임대차 계약을 체결하기 전에 여러 가지를 고려해야 합니다. 계약서에 도장을 찍기 전에는 다음 사항들을 꼼꼼하게 확인하고 준비해야 합니다:

1. 배수 체크: 임대하는 상가의 배수 시설이 제대로 작동하는지 확인합니다.
2. 원상복구 조항: 계약 종료 후 상가의 원상복구에 대한 조건과 책임 범위를 명확히 합니다.
3. 불공정 특약사항 검토: 계약서의 모든 특약사항을 검토하여 불공정한 조건이 없는지 확인합니다.
4. 보수 필요성: 오래된 상가의 경우, 부서지거나 보수가 필요한 부분에 대해 누가 책임을 지는지 계약서에 명시해야 합니다.
5. 임대차 명의 일치: 임대차 계약은 사업을 운영할 본인의 이름으로 하는 것이 처리가 간편하므로 지인이나 배우자 명의로 계약하는 것은 피해야 합니다.
6. 중개보수와 렌탈프리: 중개보수의 적절한 수수료와 임대 기간 중 무료로 사용할 수 있는 기간(렌탈프리)에 대해 협상하는 것도 중요합니다.

2.창업 예산과 자금 계획

인테리어 예산 설정과 절약 방법

반려동물 사업의 인테리어는 고객에게 좋은 첫인상을 줄 뿐만 아니라, 반려동물과 보호자가 편안하게 느낄 수 있는 환경을 조성하는 데 중요합니다. 하지만 인테리어 비용이 예산을 초과하지 않도록 하는 것도 중요하기 때문에, 효율적으로 예산을 설정하고 절약하는 방법을 잘 고려해야 합니다.

1) 인테리어 예산 설정 방법

전체 예산 설정: 사업에 투자할 수 있는 전체 금액을 정한 후, 인테리어에 할당할 금액을 설정합니다. 일반적으로 초기 예산에서 약 30~40% 정도를 인테리어 비용으로 할당하는 것이 적절합니다.

공간별 예산 분배: 애견호텔, 유치원, 미용실 등 각 구역에 필요한 인테리어 요소가 다르므로, 공간별로 예산을 분배합니다. 예를 들어, 미용실은 위생 관리와 방음이 중요하고, 호텔과 유치원은 반려동물이 편히 쉴 수 있는 안전한 공간이 필수적입니다. 각 공간의 용도와 중요도에 따라 예산을 세분화하여 관리하면 예산 초과를 방지할 수 있습니다.

우선순위 정하기: 인테리어 요소 중에서 필수적인 부분과 선택적인 부분을 나누어 우선순위를 정합니다. 예를 들어, 내구성이 높은 바닥재와 위생적인 시설은 우선적으로 투자를 고려하고, 고급 가구나 장식 요소는 추후에 추가하는 것도 한 방법입니다.

2) 인테리어 비용 절약 방법

중고 자재 및 리폼 활용: 모든 자재와 가구를 새 것으로 구입하기보다는 중고 자재나 리폼을 활용하는 것도 좋은 방법입니다. 예를 들어, 중고 가구나 리폼한 진열장, 반려동물 전용 가구 등을 활용하면 비용을 크게 절감할 수 있습니다. 중고 자재는 필요한 곳에 맞춰 선택하면 새 것과 비교해도 손색이 없습니다.

필수 시설 위주로 초기 공사 진행: 모든 시설을 한 번에 완벽히 갖추기보다는, 초기에는 필수 시설 위주로 인테리어를 진행하고 나중에 추가할 수 있는 항목은 후순위로 미룹니다. 예를 들어, 대기실이나 반려동물 휴식 공간 등 필수 구역에만 우선 투자를 하고, 필요에 따라 추가 공사를 진행하는 방식입니다.

현장 조건에 맞는 설계 선택: 공간의 구조와 형태에 따라 맞춤 설계를 진행하면 불필요한 자재 낭비를 줄일 수 있습니다. 예를 들어, 구조를 최대한 활용하여 가벽이나 추가 벽체 공사를 최소화하고, 공간에 맞는 가구 배치를 계획하면 예산 절감에 도움이 됩니다.

도매 거래 및 대량 구매: 바닥재, 페인트, 조명 등 자주 사용하는 자재는 도매 거래처를 이용하거나 대량 구매하여 할인 혜택을 받는 것도 좋은 방법입니다. 장기적으로 필요한 소모품이나 설비도 한 번에 구매하면 단가를 낮출 수 있습니다.

3) 공간 디자인과 인테리어 기획

성공적인 반려동물 사업을 위해서는 단순히 서비스를 제공하는 공간을 넘어서, 반려동물과 보호자 모두가 편안하게 느낄 수 있는 공간 디자인이 필수적입니다. 안전하고 위생적인 공간 구성, 동선 설계, 그리고 내구성이 높은 소재를 사용하는 인테리어 스타일을 통해 사업의 효율성과 고객 만족도를 높일 수 있습니다.

3.1 반려동물 친화적인 공간 구성

1) 서비스별 공간 요구 사항

각 서비스별로 반려동물의 특성과 필요를 고려한 공간 구성이 필요합니다. 반려동물 호텔, 유치원, 미용실 등 주요 서비스별로 공간 구성에 필요한 요소를 살펴보겠습니다.

반려동물 호텔: 숙박 서비스는 반려동물이 편안하게 휴식할 수 있는 공간이 필수적입니다. 반려동물의 개별 공간을 충분히 확보해 스트레스를 줄이고, 프라이버시를 유지할 수 있는 구역으로 구분하는 것이 좋습니다. 소음이 적고 안정감을 주는 공간을 조성하며, 침구류와 같은 편안한 휴식 아이템을 갖춰야 합니다.

반려동물 유치원: 유치원은 활동적인 공간이 필요합니다. 반려동물들이 자유롭게 뛰놀 수 있도록 넓은 놀이 공간을 확보하고, 사회성 훈련을 위한 다양한 장난감과 놀이 기구를 배치합니다. 놀이 구역과 휴식 구역을 나누어 반려동물이 피곤할 때는 쉴 수 있도록 해 줍니다.

미용실: 미용 공간은 반려동물의 안전과 편안함을 최우선으로 고려해야 합니다. 털 제거와 목욕, 드라이, 손질이 가능한 구역을 마련하며, 소음이 발생할 수 있는 장비가 있으므로 방음 시설을 추가하는 것도 중요합니다. 미용 도중 반려동물이 편안함을 느낄 수 있는 환경을 조성해야 하며, 미용실 내 위생 관리도 철저히 유지해야 합니다.

2) 안전하고 위생적인 공간을 위한 필수 요소

반려동물 공간에서는 청결과 안전이 가장 중요한 요소입니다. 특히 반려동물은 민감한 후각과 청각을 가지고 있어, 자주 소독하고 깨끗하게 관리해야 합니다. 주요 안전 및 위생 요소는 다음과 같습니다:

미끄럼 방지 바닥재: 반려동물이 쉽게 미끄러지지 않도록 바닥재를 선택하고, 배변 관리에 용이한 방수성 바닥재를 사용합니다.

방음 및 냄새 제거 시스템: 소음과 냄새가 발생하지 않도록 방음 설비와 환기 시스템을 설치해 반려동물과 보호자 모두가 쾌적함을 느낄 수 있도록 합니다.

위생 관리 시설: 정기적인 소독과 청소를 위해 필요한 위생 관리 설비를 갖추고, 반려동물이 사용하는 모든 장비와 공간을 철저하게 관리합니다.

3.2 고객과 반려동물을 위한 편리한 동선 설계

1) 구역별 동선 기획

편리한 동선 설계는 반려동물과 보호자 모두의 편의를 위해 필수적입니다. 대기실, 놀이 공간, 케어 공간 등 각 구역의 기능에 맞춰 고객과 반려동물이 편리하게 이동할 수 있는 동선을 마련합니다.

대기실: 대기실은 반려동물과 보호자가 편안하게 기다릴 수 있는 공간으로, 보호자가 반려동물의 상태를 쉽게 확인할 수 있는 구조가 좋습니다. 반려동물이 흥분하지 않도록 넉넉한 공간을 확보하고, 편안한 의자와 반려동물 전용 매트를 준비합니다.

놀이 공간: 놀이 공간은 반려동물들이 스트레스를 해소하고 사회성을 키울 수 있는 곳으로, 넓고 안전한 환경이 필수입니다. 이곳은 대기실이나 케어 공간과 분리하여 소음이 최소화되도록 설계합니다.

케어 공간 (미용실 및 휴식 공간): 미용실은 반려동물의 안전을 고려한 작업 공간이 필요하며, 반려동물이 미용을 받는 동안 보호자가 관찰할 수 있는 창을 배치할 수도 있습니다. 휴식 공간은 놀이 후 쉴 수 있는 공간으로, 반려동물들이 편안함을 느낄 수 있도록 설계합니다.

2) 반려동물과 보호자 모두 편리한 동선 만들기

대기실에서 놀이 공간, 케어 공간으로 이동하는 동선을 최대한 직관적으로 설계해, 반려동물과 보호자가 혼란 없이 편리하게 이용할 수 있도록 합니다. 또한 반려동물이 대기실에 있는 고객에게 직접적으로 다가가거나 짖음 등의 소음을 최소화하기 위해 고객과 반려동물의 동선을 일부 분리하는 것도 효과적입니다.

3.3 인테리어 디자인 스타일과 소재 선택

1) 내구성 높은 소재와 친환경 자재 추천

반려동물 사업의 인테리어에는 내구성이 높은 소재와 청결을 유지하기 쉬운 자재가 필수적입니다. 또한, 반려동물의 안전과 환경보호를 고려하여 친환경 자재를 선택하는 것이 좋습니다.

내구성 높은 바닥재: 반려동물의 활동량이 많기 때문에 바닥재는 마모에 강하고 방수성이 있는 제품을 선택합니다. PVC 바닥재나 코팅된 콘크리트, 타일 등이 좋은 선택입니다.

친환경 페인트 및 마감재: 반려동물이 후각에 민감하기 때문에, 유해물질이 적고 냄새가 없는 친환경 페인트와 마감재를 사용하는 것이 좋습니다. VOC(휘발성 유기 화합물) 함량이 낮은 제품을 선택하면 더 안전합니다.

2) 반려동물 특성을 고려한 인테리어 디자인 팁

반려동물 사업의 인테리어 디자인은 단순한 미적 요소뿐 아니라 반려동물의 편안함과 안전을 고려한 설계가 중요합니다.

안정감을 주는 색상 선택: 반려동물에게 안정감을 줄 수 있는 따뜻한 색조나 중간 톤의 색상을 사용하여 심리적 편안함을 제공합니다.

전선 및 콘센트 위치 설정: 반려동물이 다치지 않도록 전선과 콘센트 위치를 주의 깊게 설정합니다. 전선은 최대한 숨겨서 반려동물이 물거나 다칠 위험을 최소화합니다.

조명 설계: 조명은 밝은 조명과 은은한 조명 두 가지를 활용해 반려동물의 행동에 영향을 줄 수 있습니다. 은은한 조명은 아이들이 차분해지도록 하고, 밝은 조명을 켰을 때는 활발한 분위기를 조성해 활동성을 높입니다. 공간별로 조명을 구분하여 상황에 맞게 조도를 조절할 수 있도록 설계합니다.

장난감 및 놀이 공간을 위한 수납공간: 정리정돈이 잘 되는 수납공간을 활용하여 장난감, 간식, 소모품 등을 깔끔하게 보관하고, 필요할 때 쉽게 접근할 수 있도록 합니다.

강아지 발이 닿는 곳과 마킹이 가능한 재질 선택: 강아지 발이 닿는 바닥이나 마킹이 생길 가능성이 높은 곳은 반드시 오줌에 강하고, 쉽게 때가 타지 않는 재질로 마감하여 청결을 유지하고 관리가 용이하도록 설계합니다.

성향 분리가 가능한 공간 구성: 반려동물마다 성향이 다르므로, 개체별로 스트레스를 줄이고 안정감을 높이기 위해 성향 분리가 가능한 공간을 마련합니다. 예를 들어, 활발한 반려동물과 조용한 반려동물이 서로 떨어져 편안하게 머물 수 있도록 구역을 나누어 설계하는 것이 좋습니다.

이와 같이 공간 디자인과 인테리어 기획을 철저히 준비하면 반려동물과 보호자 모두 만족할 수 있는 환경을 조성할 수 있습니다. 사업 성공의 핵심 요소인 공간 구성을 통해 고객 만족도를 높이고 장기적인 신뢰를 구축할 수 있습니다.

4) 실내 환경과 위생 관리 시스템

반려동물 사업을 운영할 때 실내 환경 관리와 위생 관리 시스템은 고객 만족도와 신뢰를 높이는 중요한 요소입니다. 특히 반려동물과 보호자 모두 쾌적하게 느낄 수 있는 환경을 제공하는 것은 사업의 경쟁력을 강화하는 데 필수적입니다. 공기질 관리와 소음 방지, 청결 유지에 신경 쓴 인테리어 설계를 통해 실내 환경을 효과적으로 관리할 수 있습니다.

4.1 공기질과 소음 관리

공기 청정기와 환기 시스템 설치

공기 청정기: 반려동물의 털이나 피부에서 나오는 냄새와 미세한 먼지를 제거하기 위해 고성능 공기 청정기를 설치하는 것이 좋습니

다. 특히 공기 청정기는 반려동물의 털과 알레르기 유발 물질을 걸러줄 수 있는 필터를 탑재한 제품을 선택하는 것이 이상적입니다.

환기 시스템: 실내 공기질 유지를 위해 환기 시스템은 필수적입니다. 자주 문을 열지 않고도 외부 공기를 공급할 수 있는 자동 환기 시스템을 설치하면, 공기를 신선하게 유지하면서 실내 온도를 일정하게 유지할 수 있습니다. 공기 흐름이 원활해지면서 냄새 문제도 해결할 수 있어 더욱 쾌적한 환경을 제공할 수 있습니다.

소음 방지 인테리어와 방음 대책

방음 자재 사용: 벽, 바닥, 천장 등에 방음 효과가 있는 자재를 사용하여 실내 소음이 외부로 새어나가는 것을 방지하고, 반려동물의 소음이 실내에 퍼지는 것을 줄입니다. 방음 패널, 흡음재, 두꺼운 커튼 등 소음 저감에 효과적인 자재를 사용하면 외부 소음과 실내 소음을 모두 줄일 수 있습니다.

구역별 소음 분리: 반려동물들이 주로 활동하는 놀이 공간과 고객이 머무르는 대기실을 분리하여, 반려동물이 내는 소음이 대기실이나 다른 공간에 전달되지 않도록 동선을 설계합니다. 이를 통해 반려동물들이 자유롭게 활동하면서도 보호자들에게는 조용하고 편안한 공간을 제공할 수 있습니다.

4.2 청소와 위생을 위한 인테리어 설계

청결 유지에 용이한 소재와 마감 선택

미끄럼 방지 및 방수성 바닥재: 반려동물의 배변이나 털로 인해 바닥이 쉽게 오염될 수 있기 때문에, 청소가 용이하고 물에 강한 방수성 바닥재를 선택하는 것이 중요합니다. 미끄럼 방지 기능이 있는 바닥재는 반려동물의 안전을 지키고, 청소 시에도 용이한 점이 장점입니다. 추천제품 모리코트

내구성이 높은 벽 마감재: 벽은 반려동물의 마킹이나 오염으로 인해 쉽게 더러워질 수 있으므로, 내구성이 높고 물청소가 가능한 재질을 선택하는 것이 좋습니다. 세라믹 타일, 방수 벽지 등은 내구성이 높아 장기적으로 유지 보수 비용을 절감할 수 있습니다.

반려동물 안전을 위한 위생 관리 방법

소독 가능한 장비와 가구 선택: 반려동물이 사용하는 모든 장비와 가구는 자주 소독이 가능해야 합니다. 특히 식기, 장난감, 침구류는 세척과 소독이 용이한 재질로 선택하고, 세척 주기를 정해 규칙적으로 관리합니다.

위생 관리 시스템 도입: 실내 위생 유지를 위해 손 세정제와 소독제를 비치하고, 모든 구역에 쓰레기통을 배치해 오염원을 즉시

처리할 수 있도록 합니다. 또한 청소 일정과 소독 일정을 정해 모든 구역을 체계적으로 관리하고, 정기적인 소독으로 반려동물과 보호자의 건강을 지킵니다.

배변 처리 시스템 구축: 반려동물의 배변 처리를 용이하게 하기 위해 배변 패드와 전용 배변 처리가 가능한 구역을 마련하고, 배변 청소 도구와 용품을 배치해 즉시 처리가 가능하도록 합니다.

이와 같이 공기질, 소음 관리, 청결 유지에 신경 쓴 인테리어 설계와 체계적인 위생 관리 시스템을 통해 반려동물과 보호자 모두 만족할 수 있는 환경을 조성할 수 있습니다. 이는 고객 신뢰를 쌓고 장기적인 사업 성장을 위한 중요한 기반이 됩니다.

5) 인테리어 시공과 관리

반려동물 사업의 인테리어 시공은 고객이 방문했을 때의 첫인상을 결정짓는 중요한 요소입니다. 인테리어 시공 과정에서는 신뢰할 수 있는 업체 선정과 계약 관리뿐만 아니라, 예산과 일정을 철저히 조율하여 실수를 방지하는 것이 필수적입니다.

인테리어 매몰비용 줄이기 전략

인테리어 비용을 효과적으로 관리하고 장기적으로 비용을 줄이기 위한 전략은 간단하면서도 실행하기 어려울 수 있습니다. 주요 방법은 심플하고 내구성 있는 디자인을 선택하는 것입니다.

1. 심플한 디자인의 선택

- **시간이 지나도 질리지 않는 디자인:** 클래식하고 심플한 디자인은 유행을 타지 않으므로 오랜 시간 동안 신선하게 유지됩니다. 이는 추후 리모델링이 필요 없이 장기간 사용할 수 있도록 해, 인테리어 초기 투자비용을 최소화합니다.

2. 고 내구성 마감재 활용

- **강아지가 생활하는 공간에 적합한 마감재 사용:** 내구성이 높고 쉽게 손상되지 않는 마감재를 선택해야 합니다. 예를 들어, 방수 기능이 강화된 바닥재, 오염에 강한 페인트를 사용함으로써 잦은 수리 및 유지보수 비용을 절감할 수 있습니다.
- **펫 프렌들리 소재:** 애완동물이 쉽게 손상시키지 못하고, 청소가 용이한 소재를 선택하여 운영 비용을 절약하세요.

3. 유행을 따르지 않는 인테리어

트렌드에 따르지 않기: 유행하는 인테리어 디자인은 금방 촌스럽게 될 수 있어, 몇 년 후에 다시 리모델링할 필요성을 높입니다. 기본에 충실한 인테리어는 시간이 지나도 꾸준히 사랑받을 수 있습니다.

결론

인테리어 투자는 사업의 초기 단계에서 중요한 결정입니다. 장기적인 관점에서 매장의 유지보수 비용을 줄이고, 고객에게 지속적으로 쾌적한 환경을 제공할 수 있도록 내구성 있고 시간을 초월한 디자인을 선택하는 것이 중요합니다. 이런 전략을 통해 인테리어 매몰비용을 효과적으로 줄일 수 있습니다.

4. 비용 대비 효과 고려

비용-효익 분석: 고가의 인테리어 소재나 기능이 실제 매장 운영에 있어서 반드시 필요한지 고민해보고, 불필요한 지출을 피해야 합니다.

5.1 인테리어 업체 선정과 계약 관리

신뢰할 수 있는 인테리어 업체 선택 기준

경력과 전문성: 반려동물 관련 시설을 시공해본 경험이 있는 업체를 우선적으로 고려합니다. 반려동물 공간에 대한 이해도가 높은 업체는 안전성과 위생적인 공간 설계, 내구성이 높은 자재 사용 등 사업에 필요한 사항을 잘 반영할 수 있습니다.

포트폴리오와 고객 후기 확인: 업체가 제공하는 포트폴리오를 통해 과거 작업물의 품질을 확인하고, 실제 고객들의 후기를 살펴보는 것이 좋습니다. 이를 통해 해당 업체의 작업 스타일과 완성도를 파악할 수 있습니다.

견적 비교와 투명성 확인: 2~3개 업체의 견적을 비교하여 예산 범위 내에서 선택할 수 있도록 합니다. 견적서에는 자재비, 인건비, 추가비용이 투명하게 명시되어 있어야 하며, 계약 전에 세부 항목별로 상세히 설명을 요청하여 예산 초과 위험을 줄일 수 있습니다.

계약서 검토와 시공 일정 관리

계약서 검토: 계약서에는 공사 기간, 비용, 품질 보증, 사후 관리, 책임 소재 등이 명확하게 기재되어 있어야 합니다. 추가 비용이나 시공 변경 사항이 발생할 경우 사전에 합의된 조항에 따라 처리될 수 있도록 특약 사항도 추가합니다. 특히, 계약서에 하자 보수와 AS 기간이 명시되어 있는지 확인하는 것이 중요합니다.

시공 일정 관리: 시공 일정은 오픈 일정에 맞춰 계획하되, 예기치 못한 상황에 대비해 예비 기간을 고려합니다. 일정이 지연될 경우 추가 비용이 발생할 수 있으므로, 시공 과정에서 중간 점검을 통해 일정이 원활하게 진행되는지 확인하고, 업체와의 긴밀한 소통을 유지합니다.

인테리어 업체 선정 시 주의사항

인테리어 업체를 선정할 때는 다음 사항을 주의해야 합니다:

1. 업체의 실체 확인

인테리어 업체가 실제 사업장을 보유하고 있는지 확인하세요. 일부 업체는 사무실이 없거나, 개인 주거지 또는 지인의 공장 주소를 사용하는 경우가 있습니다. 이러한 유령 회사는 계약 이후 문제가 발생했을 때 책임을 지기 어려울 수 있습니다.

2. 유령 회사의 위험성

유령 인테리어 회사는 실제로 공사를 수행하지 않고 자재만 납품한 후 사라지는 경우가 많습니다. 중개 플랫폼을 통해 활동하며, 계약 후 잠적하는 경우가 있으니 주의가 필요합니다.

3. 견적과 상담의 중요성

여러 업체의 견적서를 비교하고, 상세한 상담을 진행하는 것이 중요합니다. 구체적인 견적서와 함께 제공되는 서비스의 내역을 꼼꼼히 확인해야 합니다.

4. 성공적인 사례 참고

예쁜 인테리어의 상가를 방문하여 직접 사장님에게 업체를 소개받는 것도 하나의 좋은 방법입니다. 이렇게 하면 실제 성공적인 인테리어를 담당한 업체의 정보를 얻을 수 있습니다.

5.2 인테리어 과정에서의 실수 방지 요령

자주 발생하는 실수와 대처 방법

자재 선택 오류: 반려동물 친화적인 환경을 위해 내구성이 높고 방수성이 좋은 자재를 사용하는 것이 필수입니다. 인테리어 과정에서 비용을 절감하려다 품질이 낮은 자재를 선택하는 실수를 방지해

야 하며, 사전에 자재 샘플을 확인하여 품질을 검토합니다.

동선 설계 미비: 반려동물과 보호자가 편리하게 이동할 수 있는 동선이 고려되지 않으면, 사업 운영에 어려움이 생길 수 있습니다. 설계 단계에서 대기실, 놀이 공간, 케어 공간의 위치를 구체적으로 검토하고, 고객과 반려동물의 동선이 원활하게 설계되었는지 확인합니다.

부족한 방음 및 냄새 제거 대책: 반려동물의 소음과 냄새는 고객에게 불편을 줄 수 있습니다. 시공 전 방음 설비와 환기 시스템이 충분히 설치되었는지 점검하고, 필요한 경우 방음 패널이나 흡음재를 추가하여 개선합니다.

상가 현장 상태 점검하기

상가의 현장 상태를 철저히 점검하는 것은 인테리어 비용을 줄이는 데 중요합니다. 현장의 상태가 좋지 않은 경우, 인테리어 비용이 상승할 수 있으므로 다음과 같은 요소들을 세심하게 확인해야 합니다:

- **철거 필요성:** 기존 구조물이 많아 철거가 필요한 경우, 추가 비용이 발생할 수 있습니다.
- **구조적 문제:** 천장이나 벽에 균열이 있는 경우, 이는 구조적 보강이 필요함을 의미할 수 있습니다.
- **누수 문제:** 누수가 확인되는 경우, 방수 및 수리 작업이 필요할 수 있습니다.

- **전기 시설:** 전기 시설이 낡았거나 증설이 필요한 경우, 전기공사 비용이 추가될 수 있습니다.
- **상하수도 설비:** 수도 설비가 없는 상가는 수도 공사 비용이 크게 들 수 있습니다.
- **층고 문제:** 층고가 높은 상가는 난방 및 냉방 효율이 낮아질 수 있으며, 인테리어 비용이 증가할 수 있습니다.
- **소방 공사:** 소방 시설이 미비한 경우, 법적 요구 사항을 충족하기 위해 소방 시설을 추가로 설치해야 할 수 있습니다.

상가를 선택할 때는 이러한 문제들을 미리 파악하여 예상치 못한 비용을 줄이고, 최종적으로 선택한 상가가 비즈니스 요구와 재정 계획에 맞는지 확인해야 합니다. 이를 위해 전문가와의 협의를 통한 상태 평가도 고려하는 것이 좋습니다.

인테리어 공사 구분

인테리어 공사는 크게 기본공사와 별도공사로 나뉩니다.

- 기본공사: 인테리어 업체가 직접 수행하는 공사로, 자재 구매 및 기술자 동원이 포함됩니다.
- 별도공사: 소비자가 직접 관리하며, 특정 업체를 섭외하거나 독자적으로 진행합니다.

애견샵 인테리어를 계획할 때 고려해야 할 기본공사와 별도공사에 대해 자세히 정리했습니다. 아래 내용은 인테리어 공사의 구분과 각 공사 항목의 상세 설명을 포함하고 있습니다.

기본공사 항목

1. 설비

- 배수공사, 배관공사, 구배공사
- 주방의 정화조(그리스트랩)
- 화장실의 배수구 설치

2. 전기

- 작업선 및 작업등 설치
- 배관 배선, 콘센트 및 스위치
- 분전함 신설

3. 목공

- 외부 가설공사 및 내장공사
- 벽면과 내부 마감, 천장 작업

4. 금속 및 유리

- 파티션 설치, 하지(하단 부분) 작업
- 도어 및 선반 설치
- 외부 바닥 하지작업, 복층 및 실리콘 마감

5. 도장

- 내부 및 외부 페인트 작업

6. 타일

- 벽체 및 바닥 타일 시공

7. 가구

- 맞춤형 가구 설치(카운터 바, 벤치체어 등)

8. 내부 덕트

- 후드 및 브로워 설치와 부자재

9. 조명

- 기본조명 및 레일등 설치

10. 청소

- 준공 청소

별도공사

- 필수 별도공사

- 철거 및 폐기물 처리, 외부 간판
- 냉난방기 설치 및 교체, 이동식 가구
- 전기승압, 맞춤 가구 제작

- 건물 구조 보강, 위생기구 설치
- 소방공사, 닥트 및 음향기기 설치

선택적 별도공사

소비자가 직접 진행할 수 있는 간단한 별도공사로 간판, 냉난방기, 이동식 가구 설치가 포함됩니다. 인터넷을 통한 가격 비교와 간단한 설치 과정으로 경제적 이득을 볼 수 있습니다.

인테리어 업체에 의한 별도공사

가격은 높을 수 있지만, 복잡하고 전문적인 지식이 필요한 공사(맞춤 가구, 소방공사 등)는 인테리어 업체에 맡기는 것이 적절합니다. 업체의 전문성을 활용하여 품질과 안전을 보장받을 수 있습니다.

이러한 구분을 통해 애견샵의 인테리어 계획과 진행을 더욱 효과적으로 관리할 수 있습니다.

예산 초과 방지와 일정 조율 노하우

추가 비용 관리: 시공 중 예상치 못한 추가 비용이 발생할 수 있으므로, 초기 예산에 약 10~15%의 예비 비용을 설정해둡니다. 예산 초과를 방지하기 위해, 모든 추가 작업이나 자재 변경에 대해 사전에 합의하고, 이를 문서로 기록해 관리합니다.

세부 계획과 우선순위 설정: 모든 요소를 한 번에 완성하기보다는 우선순위를 두고 진행할 항목과 나중에 추가할 수 있는 항목을 구분합니다. 필수적인 인테리어 요소를 우선 완성하고, 비용 절감을 위해 추후 추가 가능한 항목은 단계적으로 계획할 수 있습니다.

애견샵 인테리어 계약 과정

1. 현장 실측 및 데이터 수집

- 목적: 현장의 정확한 정보를 파악하여 설계와 디자인에 필요한 기초 데이터를 수집합니다.
- 확인 사항: 공간의 치수, 기존 설비의 상태, 필요한 보수 및 보강 부분, 철거 필요성, 주차와 물류 공간 등.

2. 설계 및 디자인

- 진행 과정: 현장 실측 결과를 바탕으로 초기 설계 도면을 작성하고, 디자인 시안을 준비합니다.
- 미팅: 매장의 컨셉, 예산, 원하는 인테리어 이미지를 논의하고 Pinterest나 Instagram 등을 통해 영감을 얻습니다.
- 시안 수정: 디자인 시안은 보통 2~3회의 수정을 거쳐 최종적으로 확정됩니다.
- 자료 전달: 자재, 스펙, 콘셉트, 디자인에 대해 가능한 한 명확하게 전달해야 합니다.

3. 견적 및 비용 산출

- 견적 작성: 예산에 맞춰 공사 범위를 정하고, 필요한 자재와 인건비 등을 포함한 총 비용을 산출합니다.

- 세부 사항 확인: 마감재, 인테리어 세부 소재, 추가 작업에 대한 논의가 이루어집니다.

- 견적서 검토: 제시된 견적서를 꼼꼼히 검토하여 누락된 항목이 없는지 확인합니다.

4. 계약

- 계약서 준비: 인테리어 업체와의 협의 내용을 바탕으로 표준 계약서를 준비합니다.

- 주의 사항: 계약서에는 공사 범위, 비용, 공사 기간, 지급 조건, 위약금, 계약 해지 조건 등을 명확히 기재합니다.

- 계약 검토: 법적 조언을 구하거나 계약서를 자세히 검토하여 불공정 조항이 없는지 확인합니다.

- 계약 체결: 모든 조건에 합의한 후 계약서에 서명하고 계약금을 지불하여 계약을 완료합니다.

이러한 단계를 통해 애견샵 인테리어 공사 계약까지 성공적으로 진행할 수 있습니다. 계약 과정에서 세심한 주의를 기울이면 예상치 못한 비용 발생을 최소화하고 원활한 공사 진행을 보장할 수 있습니다.

업체와의 소통과 중간 점검: 공사 기간 중 주요 작업이 완료될 때마다 중간 점검을 통해 시공 상태를 확인하고, 업체와의 정기적인 소통을 유지합니다. 이를 통해 문제 발생 시 즉각 대처할 수 있고, 일정 지연을 최소화할 수 있습니다.

이와 같은 철저한 준비와 관리로 인테리어 시공 과정에서 발생할 수 있는 실수를 방지하고, 예산 내에서 계획된 일정에 맞춰 인테리어를 완성할 수 있습니다.

6) 인테리어 완성 후 점검과 개업 준비

인테리어 공사가 끝난 후에는 시공 상태를 꼼꼼히 점검하고, 개업을 위한 최종 준비를 철저히 하는 것이 중요합니다. 시공 상태 점검과 개업 전 시범 운영을 통해 마지막 보완 사항을 확인하고, 개업 이벤트와 첫 고객 유치를 위한 전략을 계획하여 성공적인 오픈을 준비할 수 있습니다.

6.1 최종 점검과 마무리 사항 확인

시공 후 상태 확인과 AS 요청 방법

시공 상태 확인: 인테리어 공사가 완료되면 각 구역별로 시공 상태를 면밀히 점검합니다. 바닥재, 벽 마감, 가구 설치, 전기 및 조명, 냉난방 설비, 배수 시설 등 각 요소가 제대로 작동하는지 확인하고, 마감 상태가 만족스러운지 점검합니다.

AS 요청 방법: 공사 후 발견되는 문제나 손상은 신속하게 AS를 요청해야 합니다. 계약서에 명시된 AS 기간과 보증 내용을 참고하여 필요한 경우 업체에 보수를 요청합니다. 문제 발생 시 구체적인 위치와 상태를 사진으로 기록하여, 업체와의 커뮤니케이션을 명확하게 유지하는 것이 중요합니다.

초기 운영에 필요한 필수 용품 준비

청소 및 위생 용품: 개업 후 위생 상태를 유지하기 위해 청소 용품(소독제, 청소 도구, 배변 패드 등)을 미리 준비합니다. 특히 반려동물 사업의 특성상 배변 패드, 장난감 소독제, 실내 공기 청정기 등의 위생 용품이 필수적입니다.

업무 필수 용품: 운영에 필요한 각종 비품(컴퓨터, 결제 단말기, 고객 관리 프로그램, 전화기 등)을 설치합니다. 고객 응대에 필요한 명함, 전단지, 고객 상담 기록지 등을 미리 준비해 운영에 차질이 없도록 합니다.

반려동물용 용품: 반려동물이 사용할 침구류, 놀이 기구, 간식, 미용 도구 등을 구비하여 필요에 따라 활용할 수 있도록 준비합니다. 다양한 반려동물의 크기와 성향을 고려해 안전하고 튼튼한 제품을 선택합니다.

6.2 소프트 오프닝과 개업 이벤트 기획

개업 전 시범 운영을 통한 최종 점검

소프트 오프닝: 개업 전에 내부 직원과 일부 고객을 대상으로 소프트 오프닝을 실시하여, 실제 운영 상황에서 발생할 수 있는 문제를 점검합니다. 반려동물이 시설을 이용할 때의 반응, 고객 대기 동선, 각 구역의 동선과 편의성을 평가하고, 필요한 부분을 조정합니다.

운영 프로세스 검토: 소프트 오프닝 기간 동안 고객 응대, 예약 시스템, 결제 시스템, 반려동물 관리 절차 등을 테스트하여 실제 운영 시 발생할 수 있는 문제를 미리 해결합니다. 직원 간의 업무 분담과 동선 조율도 함께 점검하여 원활한 운영을 도모합니다.

개업 이벤트와 첫 고객 유치 전략

개업 이벤트 기획: 개업을 기념하여 할인 행사, 무료 체험 이벤트, 선착순 사은품 증정 등 다양한 프로모션을 계획합니다. 이를 통해 첫 방문 고객들에게 긍정적인 인상을 심어주고, 이후 단골 고객으로 유도할 수 있습니다.

홍보와 마케팅 전략: SNS, 네이버 블로그, 지역 커뮤니티 등을 통해 개업 소식을 알리고, 개업 이벤트를 적극 홍보합니다. 온라인 홍보뿐 아니라, 주변 상점이나 동물 병원에 전단지나 리플릿을 배포해 인지도를 높이는 것도 효과적입니다.

첫 고객 관리: 개업 첫날 방문하는 고객들은 사업의 첫 인상을 형성하는 중요한 고객입니다. 첫 방문 고객에게 특별한 환영 인사와 함께 작은 기념품을 제공하여 긍정적인 경험을 남기고, 방문 후기를 남길 수 있도록 유도해 리뷰와 입소문을 통한 추가 유입을 기대할 수 있습니다.

이와 같은 철저한 최종 점검과 소프트 오프닝을 통해, 운영상 문제를 사전에 해결하고, 개업 이벤트와 홍보 활동을 통해 첫 고객을 성공적으로 유치할 수 있습니다.

개인 애견샵의 광고 전략

애견샵 운영에는 효과적인 광고 전략이 필수적입니다. 현재 인기 있는 플랫폼들을 활용한 다양한 광고 방법을 살펴보겠습니다

.

1. 네이버 스마트플레이스

- 대상 지역과 연령: 전국 또는 특정 지역 설정, 모든 연령층
- 중요 요소:
- 키워드 선택: 애견호텔, 애견유치원 등의 서비스명과 지역명을 조합
- 사진 관리: 고화질 이미지 사용하여 시각적 매력 증대
- 상세 설명: 서비스 설명과 키워드를 정성스럽게 작성
- 리뷰 관리: 빈번한 업데이트와 고객 리뷰 응답으로 높은 사용자

참여 유도

2. 네이버 파워링크

- 키워드 광고: 특정 키워드 검색 시 상위 노출을 목표로 설정
- 비용: 클릭당 비용은 키워드 경쟁도에 따라 달라질 수 있음

3. 블로그 광고

- 자체 관리와 대행: 일상의 소소한 이야기, 행사, 새로운 서비스를 꾸준히 업데이트
- 최적화: 키워드를 포함한 1,000자 이상의 본문 작성으로 높은 검색 엔진 최적화(SEO) 효과 추구

4. 유튜브

- 적용 범위: 전국적 또는 원하는 지역
- 콘텐츠: 동영상을 통한 직접적인 소통으로 신뢰성 및 인지도 상승
- 도구: 스마트폰과 간단한 편집 도구를 활용한 저비용 콘텐츠 제작

5. 인스타그램

- 타겟: 주로 젊은 층
- 콘텐츠: 멋진 사진과 짧은 글로 일상적인 소통과 상호작용 증대
- 광고 기능: 정확한 타겟 설정으로 높은 반응률 기대

6. 당근마켓

- 지역 기반 광고: 사업장 인근 지역 타겟팅으로 지역 고객과의 연결 강화

이러한 플랫폼을 효과적으로 활용하여 다양한 연령대와 지역의 고객에게 도달할 수 있습니다. 각 광고 수단을 잘 활용하여 애견샵의 시장 점유율을 확대하고, 브랜드 인지도를 높일 수 있습니다.

광고 운영 시 주의사항

애견샵 운영자가 직접 광고를 관리하는 것을 추천합니다. 대행 업체를 통한 광고 관리는 특히 초기에는 효과적일 수 있으나, 장기적으로 보았을 때 몇 가지 주의해야 할 점이 있습니다:

1. 자동화된 콘텐츠의 위험

- 복사 붙여넣기: 대행 업체들이 제공하는 콘텐츠는 종종 중복되거나 비개성적인 정보를 담고 있을 수 있습니다. 이는 검색 엔진에서 저품질로 평가받아 랭킹에 부정적인 영향을 줄 수 있습니다.

2. 어뷰징 행위

- 스팸성 활동: 일부 대행 업체는 높은 랭킹을 달성하기 위해 어뷰징 행위를 할 수 있습니다. 이는 단기적으로는 효과를 볼 수 있으나, 장기적으로는 심각한 페널티를 받을 수 있습니다.

3. 지속 가능한 관리 필요

- 직접 운영의 중요성: 자신의 비즈니스에 대해 가장 잘 알고 있는 사람은 바로 사업주입니다. 자체적으로 광고 플랫폼을 관리하면 보다 정확하고 세밀한 콘텐츠 업데이트가 가능하며, 고객과의 직접적인 소통을 통해 신뢰를 구축할 수 있습니다.

4. 교육과 자기 계발

- 자체 학습: 유튜브와 같은 플랫폼에서 다양한 광고 기술을 학습할 수 있습니다. 이를 통해 최신의 디지털 마케팅 동향을 파악하고, 자체적으로 적용해 볼 수 있습니다.

애견샵의 광고 전략은 고객과의 관계를 깊이 있게 다지고, 지속적으로 효과를 볼 수 있는 방향으로 설정하는 것이 중요합니다. 따라서, 가능한 직접 광고 관리를 수행하여 장기적으로 브랜드 가치를 높이는 것을 목표로 해야 합니다.

제 3 화 운영과 관리

애견용품 매입 노하우 안내

애견샵 운영을 위해 필수적인 애견용품을 효과적으로 매입하는 노하우와 절차를 안내합니다. 효율적인 매입 방법을 통해 운영 비용을 절감하고, 고객의 만족도를 높일 수 있습니다.

1. 고객센터 활용

- 원하는 상품의 공식 홈페이지에 접속하여 상단 또는 하단에서 고객센터 전화번호를 찾습니다.

- 고객센터에 전화하여 도매 구매 의사를 표현하면, 해당 상품을 취급하는 대리점 또는 직영점을 소개받을 수 있습니다.

2. 펫페어 활용

- 국내 주요 도시(수원, 일산, 서울 등)에서 열리는 펫페어에 참가하여 용품 담당자와 만나 도매 구매 조건에 대해 상담할 수 있습니다.

3. 용품 구입 시 유의사항

- 과세 유형 확인: 제품 공급업체가 간이과세자인 경우, 일반과세자만 거래할 수 있도록 제한을 두는 경우가 있으므로 이를 확인해야 합니다.

- 규제 및 규약: 직수입 제품에 대한 규제, 온라인 판매 금지 제품 등 다양한 규제와 규약을 확인하고, 법적 문제 없이 제품을 매입합니다.

4. B2B 사이트 활용

- 다양한 애견용품을 한 번에 비교하고 구입할 수 있는 B2B 사이트를 활용합니다.

- 대표적인 도소매 사이트로는 '도매펫', '허브펫' 등이 있으며,

이들 사이트를 통해 다양한 애견용품을 편리하게 매입할 수 있습니다.

위의 방법들을 활용하여 애견샵 운영에 필요한 용품을 효과적으로 매입함으로써 비용을 절약하고, 고객의 요구에 더욱 민첩하게 대응할 수 있습니다.

고객 경험과 서비스 품질 관리

고객 경험과 서비스 품질 관리는 반려동물 사업의 핵심 요소로, 고객의 요구와 반려동물의 특성에 맞춘 세심한 서비스를 제공하는 것이 중요합니다. 특히 반려동물과 보호자가 모두 안심하고 편안함을 느낄 수 있는 환경을 제공하면, 고객 충성도와 재방문율을 높일 수 있습니다.

1) 반려동물 고객의 다양한 요구와 서비스 대응 방안

반려동물 고객은 각기 다른 성향과 특성을 지니고 있으며, 보호자들도 각자의 기대와 요구를 가지고 있습니다. 이를 만족시키기 위해서는 고객층의 요구를 파악하고 반려동물의 상태와 성향에 맞춘 맞춤형 서비스를 제공하는 것이 중요합니다.

고객층의 요구 파악: 보호자의 요구는 각기 다르므로, 초기에 상담을 통해 원하는 서비스와 기대 사항을 자세히 파악하는 것이 좋습니다. 예를 들어, 보호자가 강조하는 부분(특별한 놀이 활동, 미

용 스타일, 개별 케어 등)을 잘 파악하여 이를 서비스에 반영할 수 있도록 합니다. 이를 통해 고객은 자신이 기대한 서비스가 제공된다는 신뢰를 느끼게 됩니다.

반려동물의 성향에 맞춘 맞춤형 서비스: 각 반려동물의 성향과 건강 상태를 고려한 맞춤형 서비스를 제공하여 스트레스를 줄이고 편안함을 유지하도록 합니다. 예를 들어, 활발한 반려동물에게는 넓은 놀이 공간에서 자유롭게 뛰어놀 수 있도록 해주고, 소심하거나 조용한 반려동물에게는 독립된 공간을 제공하여 안정감을 주는 것이 좋습니다.

차별화된 고객 서비스: 보호자를 위한 차별화된 서비스도 중요합니다. 보호자가 대기하는 동안 쾌적한 대기실을 제공하거나, 반려동물이 케어를 받는 모습을 실시간으로 볼 수 있는 CCTV 시스템을 제공하여 신뢰감을 높이는 것도 좋은 방법입니다.

멀티샵 운영 시 고려해야 할 점

높은 월세 부담을 줄이기 위해 멀티샵 형태를 도입하는 매장들이 점점 늘어나고 있습니다. 예를 들어, 애견 유치원이나 카페의 한쪽에 매대를 두고 반려동물 용품을 판매하는 방식이 흔합니다. 그러나 단순히 매대를 놓고 **"우리도 용품 판매합니다"**라는 식의 운영은 고객에게 **"여기서 용품도 사세요"**라는 일방적인 메시지로 비칠 가능성이 높습니다. 이는 고객을 매장에 끌어들이고 구매를 유도하기 어렵게 만듭니다.

철물점이 망하지 않는 이유에서 배우는 교훈

철물점이 잘 망하지 않는 이유는 그들의 상품 구성에서 찾을 수 있습니다. 철물점의 물건들은 일반적으로 썩지 않고 변질되지 않으며, 매년 원자재 가격 상승으로 인해 재고 가치가 오히려 상승하는 경우가 많습니다. 즉, 재고 처리에 대한 부담과 소멸 비용이 적기 때문에 안정적인 운영이 가능합니다.

이 교훈을 반려동물 사업에 적용하면, **가치 있는 물건에 투자하고 그 가치를 지속적으로 유지하거나 높일 수 있는 품목을 구성**하는 것이 중요합니다. 반려동물 시장에서 이를 적용할 수 있는 대표적인 품목은 다음과 같습니다

1.장난감과 옷: 반려동물 장난감과 옷은 유행에 민감하지 않고, 손상이 적은 품목입니다. 특히 고품질의 제품은 오랫동안 사용할 수 있어 고객 충성도를 높이고 지속적인 판매가 가능합니다.

2.고급 강아지 분양: 고퀄리티 강아지 분양은 건강과 외모에 중점을 두어 관리하며, 브랜드화할 경우 신뢰를 쌓아 지속적인 수익을 창출할 수 있습니다. 단, 이를 위해 적절한 사육 환경과 관리를 제공하는 것이 필수적입니다.

고객 관계에서의 '갑을' 위치 전환

일반적으로 고객이 '갑'이고 사업주가 '을'이라는 인식이 많지만, 사업을 성공적으로 운영하려면 **사업주가 '갑'의 위치**에 서야 합니

다. 고객이 매장을 방문했을 때, 단순히 물건을 판매하는 것이 아니라 매장의 전문성과 신뢰를 느낄 수 있어야 합니다.

전문성을 강조한 매장 연출이 핵심입니다. 단순히 용품을 진열하는 것이 아니라, 매장을 방문한 고객이 자연스럽게 물건을 사고 싶어 하도록 유도해야 합니다.

창업 자본의 한계와 창의적인 사업 전략

창업 자본금의 크기가 비즈니스 성공의 결정적인 요인이 아닙니다. 많은 자본을 투자한 대형 프로젝트가 성공을 보장하지 않듯이, 소규모 자본으로 시작하는 애견샵이 반드시 실패로 이어지지는 않습니다. 핵심은 자원의 활용과 고객에게 제공하는 이미지의 관리에 있습니다.

애견샵의 경우, 고객이 직접 체험하지 않고 제공된 이미지를 통해 가게를 평가합니다. 분양, 유치원, 호텔 서비스에 사용되는 사진이나 영상은 소비자의 평가에 큰 영향을 미칩니다. 이는 영화의 한 장면처럼, 전체 이야기의 일부만을 보여주며, 실제 매장의 분위기와 서비스 품질을 대변합니다.

따라서, 창업자는 고객이 경험할 수 없는 서비스 부분을 사진과 영상을 통해 효과적으로 전달해야 합니다. 이 과정에서 소규모 자본이지만 공간을 효과적으로 활용하고, 고품질의 시각적 자료를 제공하여 서비스 품질을 높일 수 있습니다.

결론적으로, 창업 자본금이 적더라도, 고객에게 우수한 서비스 경험과 강렬한 이미지를 제공할 수 있다면 성공적인 애견샵 운영이 가능합니다. 창업 초기의 자본금 한계를 창의적인 비즈니스 전략과 우수한 고객 서비스로 극복하는 것이 중요합니다. 이러한 접근은 자본금의 크기에 구애받지 않고 시장에서 성공할 수 있는 기반을 마련합니다.

멀티샵 운영의 성공 포인트

멀티샵의 핵심은 단순히 서비스를 병행 제공하는 것이 아니라, 고객을 설득할 수 있는 상품 구성과 매장 연출에 있습니다.

- **서비스와 상품의 조화:** 단순히 매대에 물건을 놓는 것이 아니라, 매장 전체가 전문성을 강조하도록 배치해야 합니다.
- **고객의 눈길을 사로잡는 디스플레이:** 명동의 유명 애견의류 매장처럼 강아지 간식은 판매하지 않고, 장난감과 옷만 전문적으로 진열하여 사람들의 관심을 끄는 사례를 참고하세요. 고객이 진열된 물품을 보며 **"이건 꼭 사야겠다"**고 느낄 수 있는 디스플레이가 필요합니다.
- **전문적인 상품 구성:** 매장 방문 고객이 상품에 대해 신뢰를 느낄 수 있도록 설득력 있는 제품 구성을 만들어야 합니다.

결론: 고객을 설득하는 매장을 만들자

멀티샵 운영의 성공은 **고객을 설득하는 매장**을 만드는 데 달려 있습니다. **"여기서 사세요"**라는 메시지를 전달하는 것이 아니라, **"이 제품이 정말 필요하다"**는 신뢰와 전문성을 고객에게 전달하세요. 설득력 있는 디스플레이와 구성으로 고객이 직접 구매 욕구를 느끼도록 매장을 설계해야 합니다.

성공적인 멀티샵은 고객에게 매력적이고 신뢰를 줄 수 있는 환경을 제공하는 데서 시작됩니다. **"을"이 아닌 "갑"의 위치에서 고객과 소통**하세요!

애견용품 매입 전략

애견용품 매입 과정은 생각보다 간단합니다. 필요한 용품을 구매하는 첫 단계로 해당 제품을 관리하는 공식 홈페이지를 방문합니다. 홈페이지 상단이나 하단에 위치한 고객센터 번호를 통해 연락을 취하면, 도매 구매에 관심이 있다고 말씀드리면 대리점이나 직영점을 소개받을 수 있습니다.

또한, 제품 구입 시에는 간이과세자는 구매가 제한될 수 있으므로, 용품 회사의 경영 방침을 확인하는 것이 중요합니다. 직수입 제품이나 온라인 판매 금지 제품 등 다양한 규제와 규약을 사전에 확인하여 계획에 차질이 없도록 해야 합니다.

B2B 사이트를 활용하는 것도 효과적입니다. '도매펫', '허브펫' 같은 사이트에서는 다양한 애견용품을 손쉽게 비교하고 구매할 수 있어 효율적인 매입이 가능합니다.

2) 반려동물의 안전을 고려한 시설 관리 및 서비스 품질 유지

안전한 시설과 철저한 위생 관리는 반려동물과 보호자 모두에게 신뢰를 주는 중요한 요소입니다. 안전하고 쾌적한 환경을 유지하기 위한 다양한 관리 방법이 필요합니다.

안전한 환경 조성: 반려동물은 호기심이 많고 활동량이 많아 안전에 특히 주의해야 합니다. 바닥은 미끄럼 방지 처리가 되어 있어야 하며, 날카롭거나 작은 물건은 반려동물이 다칠 수 있으므로 반려동물이 접근할 수 없는 곳에 배치해야 합니다. 놀이 구역이나 미용실 등 주요 공간은 반려동물이 안전하게 활동할 수 있도록 설계되어야 합니다.

철저한 위생 관리: 반려동물의 공간은 매일 청소하고, 장난감이나 놀이기구는 주기적으로 소독하여 청결을 유지합니다. 특히, 미용 도구나 침구류는 반려동물마다 소독하고 교체하여 질병이 전파되지 않도록 합니다. 또한, 탈취제와 공기 청정기를 활용해 냄새 문제를 해결하고 쾌적한 환경을 유지하는 것이 중요합니다.

효과적인 애견샵 청소 방법 안내

애견샵에서는 강아지들이 오줌을 누는 경우가 잦아, 즉각적인 청소와 냄새 제거가 중요합니다. 냄새를 제거하지 않으면 그 장소가 지속적으로 배변 장소로 인식되어 계속해서 냄새가 날 수 있습니다. 아래는 애견샵의 청결을 유지하기 위한 효과적인 청소 방법입니다:

1. 냄새 제거 방법

- **식초와 베이킹 소다:**
- 식초는 오줌 냄새를 중화하는 데 효과적입니다. 찬물과 식초를 1:1 비율로 섞어, 오줌이 묻은 부분에 뿌리고 닦아내면 얼룩과 냄새를 제거할 수 있습니다. 카펫의 경우, 이 혼합물을 적셔 두었다가 완전히 건조시킨 후 세탁합니다.

- **효소 세제:**
- 효소 세제는 강아지 오줌 냄새를 제거하는데 매우 효과적입니다. 효소는 오줌의 원인인 단백질을 분해하여 냄새를 제거합니다.
- **락스:**
- 락스는 물에 희석시켜 사용해야 하며, 오줌 냄새가 나는 곳에 뿌린 후 걸레로 닦아내면 냄새뿐만 아니라 바이러스와 세균도 제거할 수 있습니다. 사용 방법은 락스 뒤편의 안내를 참조하세요. 애견 전용 세정제를 사용하는 것이 더 안전합니다.

- **추천 제품:**
- 파인솔과 같은 강력한 탈취 및 청소 제품을 사용하면 효과적입니다.

2. 효과적인 청소 방법

- **빠른 대응:**
- 강아지가 오줌을 눈 즉시, 즉각적으로 청소를 시작합니다.
- **중화:**
- 식초와 베이킹 소다를 활용하여 냄새를 중화시킵니다.
- **깊은 청소:**
- 효소 세제나 락스를 사용해 깊숙이 청소하고 냄새의 원인을 제거합니다.
- **예방:**
- 애견 전용 탈취제를 정기적으로 사용하여 지속적인 냄새 방지와 청결한 환경을 유지합니다.

응급 상황 대비 시스템: 반려동물의 안전을 보장하기 위해 응급 상황에 대비한 시스템을 갖추는 것도 필요합니다. 기본적인 응급처치 도구와 구급 상자를 준비하고, 직원들이 반려동물 응급 상황에 대한 기본적인 대처 방법을 숙지하도록 교육합니다. 필요시 즉시 동물병원에 연락할 수 있는 비상 연락망도 마련해 두면 고객에게 더욱 신뢰를 줄 수 있습니다.

응급 상황 대비 시스템

반려동물 사업에서 응급 상황에 대비하는 것은 반려동물의 건강과 안전을 보장하고, 보호자에게 신뢰감을 주는 중요한 요소입니다. 특히 반려동물이 갑작스러운 응급 상황에 처했을 때 적절한 대처가 필요하며, 이를 위해 직원들이 응급처치 방법과 훈련을 충분히 숙지하고 있어야 합니다

필요한 응급상황 대비 훈련

강아지 하임리히법 훈련: 목에 이물질이 걸렸을 때 하임리히법을 실시하는 훈련.

반려동물 심폐소생술(CPR) 훈련: 심정지 상태에서 인공호흡과 가슴 압박을 통해 생명을 구하는 훈련.

지혈 및 상처 응급처치 훈련: 출혈 상황에서 지혈하고 상처를 보호하는 훈련.

열사병 대처 훈련: 더운 환경에서 강아지의 체온을 조절하고 열사병 징후를 신속히 인지하는 훈련.

골절 및 부상 시 고정 훈련: 골절 발생 시 부상을 고정하여 추가적인 손상을 방지하는 훈련.

응급처치 도구 사용 훈련: 구급 상자와 응급처치 도구를 실제 상황에서 사용하는 방법을 숙달하는 훈련.

이와 같은 응급 상황 대비 훈련과 처치 방법을 통해 반려동물 사업장에서 발생할 수 있는 다양한 상황에 신속히 대처할 수 있도록

준비하면, 고객과 반려동물에게 더욱 안전하고 신뢰할 수 있는 서비스를 제공할 수 있습니다.

.

1) 강아지가 목에 이물질이 걸렸을 때 - 강아지 하임리히법

강아지 하임리히법은 강아지가 목에 이물질이 걸렸을 때 사용하는 응급처치법입니다. 이 처치는 강아지가 음식을 잘못 삼키거나 작은 물체로 인해 기도가 막혔을 때, 신속하게 이물질을 제거해 호흡을 돕는 방법입니다.

소형견: 강아지를 등 뒤로 앉힌 뒤, 한 손으로 강아지의 배 부분을 가볍게 감싸고 두 번째 손으로 위쪽으로 힘을 주어 밀어줍니다. 이때 이물질이 튀어나올 수 있도록 적당한 힘을 사용해야 합니다.

대형견: 대형견은 등 뒤로 손을 감싸기 어려우므로, 옆으로 눕힌 후 배 부분을 위로 밀어올리며 짧고 강하게 압박합니다.

이후에도 호흡이 정상으로 돌아오지 않으면 즉시 동물병원에 연락해 추가 처치를 받습니다.

2) 응급 상황별 응급처치 방법과 훈련 명칭

다양한 응급 상황에 대비하기 위해 직원들은 아래와 같은 응급처치 방법과 훈련을 숙지하는 것이 중요합니다.

주요 응급처치 방법

강아지 하임리히법: 목에 이물질이 걸렸을 때 이물질을 제거하기 위한 방법.

인공호흡 및 심폐소생술(CPR): 강아지가 호흡을 하지 않거나 심장이 멈췄을 때 실시하는 응급처치.

- 방법: 강아지의 입을 닫고 코에 공기를 불어넣으며, 가슴을 일정한 간격으로 압박해 심장 박동을 돕습니다. 인공호흡과 가슴 압박을 반복합니다.

출혈 시 지혈법: 상처가 발생해 출혈이 심할 때 지혈하는 방법.

- 방법: 깨끗한 천이나 거즈로 상처 부위를 압박하여 출혈을 막고, 지혈대 사용이 필요할 경우에는 강아지 다리나 꼬리에 지혈대를 가볍게 감아줍니다.

열사병 대처법: 더운 날씨에 강아지가 열사병에 걸렸을 때 체온을 빠르게 낮추는 방법.

- 방법: 강아지를 서늘한 장소로 이동시키고, 차가운 물로 젖은 수건을 이용해 목과 배를 식혀줍니다.

골절 시 고정법: 강아지가 다치거나 부상을 입어 뼈가 부러졌을 때 고정하는 방법.

- 방법: 다친 부위를 움직이지 않도록 고정한 후, 근처의 동물병원으로 즉시 이동합니다.

이처럼 고객 경험과 서비스 품질 관리는 고객 충성도를 높이고, 반려동물과 보호자가 모두 만족할 수 있는 환경을 조성하는 데 중요한 역할을 합니다.

애견샵 운영을 위한 추천 업무 도구

애견샵을 운영하면서 다양한 업무를 효율적으로 관리하려면 적절한 업무 도구의 도움이 필수적입니다. 강아지 유치원 출석 횟수, 결제 기록, 이용 내역, 계약서 작성, 식사 제공 내역 등 많은 정보를 체계적으로 관리해야 합니다. 이를 위해 여러 업무 도구를 사용할 수 있는데, 특히 추천하는 도구는 다음과 같습니다:

1. **스프레드시트 (예: 구글 시트 또는 마이크로소프트 엑셀):** 유연하고 강력한 데이터 관리 기능을 제공하여 다양한 업무 기록을 손쉽게 관리할 수 있습니다. 맞춤형 데이터 입력, 필터링, 정렬 기능을 통해 정보를 쉽게 접근하고 분석할 수 있습니다.

2. **키즈노트:** 주로 유아교육 기관에서 사용되지만 애견 유치원에서도 활용할 수 있습니다. 강아지들의 출석, 사료 제공 내역, 건강 상태 등을 부모님들과 손쉽게 공유할 수 있으며, 사진과 메모를 추가하여 소통을 강화할 수 있습니다.

3. **노션 (Notion):** 프로젝트 관리, 문서 작성, 데이터베이스 관리 등 복합적인 기능을 제공하는 도구로, 애견샵의 모든 업무를 한 곳

에서 통합 관리할 수 있습니다. 사용자 친화적인 인터페이스와 다양한 템플릿을 제공하여 업무 효율성을 높일 수 있습니다.

이러한 도구들을 활용하면 애견샵의 일상적인 업무 관리는 물론, 고객 서비스 품질을 향상시키는 데 큰 도움이 될 것입니다.

고객 유입을 위한 마케팅 전략

반려동물 사업의 성공을 위해서는 다양한 마케팅 전략을 활용하여 고객의 관심을 끌고, 신뢰를 쌓아 방문을 유도하는 것이 중요합니다. 특히 소셜 미디어와 네이버 스마트플레이스를 활용한 마케팅은 초기 고객 유입과 충성 고객 확보에 효과적입니다.

1) 소셜 미디어 마케팅과 콘텐츠 제작

반려동물 사업은 소셜 미디어 플랫폼을 통해 손쉽게 고객에게 다가갈 수 있습니다. 특히 인스타그램과 네이버 블로그는 반려동물 관련 콘텐츠가 활발히 공유되는 플랫폼으로, 시각적이고 친근한 접근이 가능해 고객의 호감을 얻기 쉽습니다.

인스타그램 마케팅

비주얼 콘텐츠: 반려동물 사진과 동영상은 매우 큰 주목을 받기 때문에, 매력적인 비주얼 콘텐츠를 제작하는 것이 중요합니다. 예쁜 배경, 반려동물의 자연스러운 모습, 유머러스한 순간을 담은 사진과 영상을 정기적으로 업로드하여 팔로워와의 교감을 유지합니다.

스토리와 릴스 활용: 스토리 기능을 활용해 고객과의 실시간 소통을 늘리고, 제품이나 서비스를 소개하는 짧은 영상(릴스)을 제작해 브랜드의 가치를 전달합니다. 예를 들어, 애견 호텔의 시설 투어, 반려동물의 미용 과정 등 짧고 흥미로운 영상을 만들어 인지도를 높일 수 있습니다.

해시태그 전략: #애견호텔, #애견미용, #강아지유치원 등 인기 있는 해시태그를 적절히 활용해 더 많은 잠재 고객에게 노출됩니다. 지역 해시태그(#평택애견호텔, #수원애견유치원 등)를 함께 사용해 인근 고객의 방문을 유도할 수 있습니다.

네이버 블로그 마케팅

콘텐츠의 다양화: 블로그를 통해 반려동물 관련 유익한 정보를 제공하거나, 반려동물 케어 팁, 시설 투어, 고객 후기 등을 꾸준히 포스팅하여 신뢰를 쌓습니다. 예를 들어, '강아지 건강 관리법', '애견 호텔 예약 시 체크리스트'와 같은 정보성 콘텐츠는 검색 노출에도 효과적입니다.

키워드 최적화: 네이버 검색에 잘 노출되도록 글 제목과 본문에 키워드를 자연스럽게 삽입합니다. 예를 들어, "평택 애견호텔", "강아지 유치원" 등의 키워드를 적절히 배치하여 잠재 고객이 관련 키워드를 검색할 때 쉽게 노출될 수 있도록 합니다.

리뷰와 후기 포스팅: 기존 고객이 남긴 긍정적인 리뷰를 블로그에 소개하여 신뢰도를 높입니다. 고객의 후기를 사진과 함께 포스팅하거나, 반려동물이 즐겁게 이용 중인 모습을 담은 생생한 사진을 공유하면, 처음 방문하는 고객에게 안심감을 줍니다.

2) 온라인 리뷰 관리와 고객 리뷰 유도 전략

고객 리뷰는 신뢰를 구축하는 중요한 요소로, 긍정적인 리뷰는 신규 고객의 방문을 유도하는 효과적인 수단입니다. 리뷰 관리를 통해 고객 경험을 최적화하고, 좋은 후기를 유도하여 입소문을 극대화합니다.

리뷰 유도 방법

리뷰 인센티브 제공: 서비스 이용 후 리뷰를 작성하는 고객에게 소정의 인센티브(할인 쿠폰, 무료 체험 등)를 제공합니다. 이를 통해 더 많은 고객이 긍정적인 리뷰를 남기도록 유도할 수 있습니다.

포토 리뷰 요청: 반려동물의 사진과 함께 리뷰를 남겨주는 고객에게 추가 혜택을 제공하여, 생생한 포토 리뷰가 쌓이도록 합니다. 반려동물의 즐거운 모습을 담은 포토 리뷰는 잠재 고객에게 큰 신뢰감을 줄 수 있습니다.

리뷰 관리 방법

리뷰 모니터링: 네이버, 구글 등 다양한 플랫폼의 리뷰를 주기적으로 확인하고 관리합니다. 긍정적인 리뷰에는 감사의 답변을 남겨 고객과의 신뢰를 쌓고, 부정적인 리뷰는 신속하게 대응하여 문제를 해결하려는 노력을 보여줍니다.

피드백 반영: 고객이 남긴 리뷰를 분석하여 서비스 개선에 반영합니다. 예를 들어, 대기 시간이 길다는 의견이 있다면 예약 시스템을 개선하거나, 반려동물이 편히 쉴 수 있는 대기 공간을 추가하는 등 구체적인 조치를 통해 고객 만족도를 높일 수 있습니다.

3) 네이버 스마트플레이스와 인스타그램을 활용한 홍보 전략

네이버 스마트플레이스와 인스타그램은 검색과 SNS 노출을 극대화하는 데 중요한 역할을 합니다. 특히 네이버 스마트플레이스는 지역 기반 서비스이므로, 주변 고객을 효과적으로 유입할 수 있는 강력한 도구입니다.

네이버 스마트플레이스 최적화

정확한 정보 제공: 매장 정보(주소, 전화번호, 영업시간)를 정확하게 등록하고, 자주 업데이트하여 고객이 쉽게 찾아오도록 합니다.

사진과 설명 강화: 매장의 분위기, 시설, 서비스 등을 보여줄 수 있는 고품질 사진과 상세한 설명을 등록해 고객의 흥미를 유도합니다. 특히 반려동물의 편안한 모습, 청결한 시설 등을 강조하여 신뢰

감을 높입니다.

리뷰 관리와 노출 전략: 고객 리뷰에 응답하고, 리뷰 수가 많아지도록 유도하여 검색 노출 순위를 높입니다. 또한, 주기적으로 이벤트를 진행하여 스마트플레이스 페이지에 새로운 내용이 업데이트되도록 관리합니다.

인스타그램 홍보 전략

스토리와 실시간 소통: 스토리를 통해 매일매일의 일상 모습이나 특별한 이벤트를 실시간으로 공유하여 고객과의 소통을 활발히 합니다.

릴스를 통한 브랜드 노출: 릴스를 활용해 매력적인 15초~30초 분량의 짧은 영상을 제작하여 반려동물의 일상 모습, 사업장의 분위기, 특별한 프로모션 등을 홍보합니다.

인플루언서 협업: 반려동물 관련 인플루언서와의 협업을 통해 더 많은 팔로워에게 노출될 수 있습니다. 인플루언서의 방문 후기나 추천을 통해 브랜드 인지도를 높이고, 신규 고객 유입을 촉진할 수 있습니다.

이러한 소셜 미디어와 네이버 스마트플레이스를 활용한 전략적 마케팅은 반려동물 사업의 고객 유입을 증대시키는 데 매우 효과적이며, 브랜드의 신뢰도를 높이는 데도 기여합니다. 지속적인 콘텐츠 제작과 리뷰 관리를 통해 고객과의 소통을 강화하고, 긍정적인 이미지를 구축하여 성공적인 반려동물 사업을 이어갈 수 있습니다.

고객 관리와 CRM 전략

반려동물 사업에서 고객 관리와 CRM(Customer Relationship Management) 전략은 단골 고객을 확보하고, 맞춤형 서비스를 통해 고객 충성도를 높이는 데 핵심적인 역할을 합니다. 고객 데이터를 활용하여 맞춤형 서비스를 제공하고, 정기적으로 피드백을 수집하여 서비스 품질을 지속적으로 개선하는 전략을 통해 고객의 만족도를 높일 수 있습니다.

1) 고객 데이터를 활용한 맞춤형 서비스 제공

고객 데이터는 반려동물 사업의 맞춤형 서비스를 제공하는 데 중요한 자원입니다. 고객의 요구와 반려동물의 성향에 맞춘 서비스를 제공하면 고객 만족도와 재방문율을 높일 수 있습니다.

고객 프로파일링: 고객이 처음 방문할 때 반려동물의 성격, 나이, 건강 상태, 선호하는 활동 등을 기록해 두면, 이후 방문 시 반려동물의 성향에 맞춘 서비스를 제공할 수 있습니다. 예를 들어, 활발한 강아지에게는 놀이 활동이 풍부한 공간을 제공하고, 조용한 성향의 반려동물에게는 개별 공간을 제공하여 스트레스를 줄여줍니다.

개인화된 서비스 제공: 고객이 자주 이용하는 서비스나 요청한 특별 케어 내용을 기록해 두고, 이를 토대로 다음 방문 시 해당 서비스를 제공하면 고객이 자신과 반려동물이 특별히 관리받고 있다고 느끼게 됩니다. 예를 들어, 미용을 받을 때 특정 스타일을 선호하는 고객에게는 같은 스타일로 케어를 제공하는 등의 맞춤형 접근이 가능합니다.

정기 서비스 및 이벤트 추천: 고객 데이터를 바탕으로 정기적으로 이용할 만한 서비스나 특별 이벤트를 추천할 수 있습니다. 예를 들어, 주기적으로 미용을 받는 반려동물에게는 미용 예약 알림을 제공하거나, 생일이 다가오는 반려동물에게는 생일 이벤트 쿠폰을 발송하여 특별한 경험을 제공합니다.

2) 정기적인 고객 피드백 수집과 개선 전략

정기적인 고객 피드백 수집은 서비스 품질을 유지하고 개선하는 데 필수적인 요소입니다. 고객의 의견을 반영하여 개선점을 보완하고, 신속한 피드백 반영으로 고객 만족도를 높일 수 있습니다.

피드백 수집 방법: 고객 피드백은 다양한 방법으로 수집할 수 있습니다. 예를 들어, 서비스 이용 후 고객에게 간단한 만족도 설문지를 제공하거나, SNS와 네이버 블로그 리뷰 등을 통해 의견을 요청합니다. 또한, 정기적으로 이메일이나 카카오톡을 통해 피드백을 요청하는 것도 효과적입니다.

피드백 반영을 통한 서비스 개선: 수집한 피드백을 분석하여 자주 언급되는 개선점이 있다면 이를 신속하게 반영합니다. 예를 들어, 고객이 대기 시간에 대해 불만을 제기할 경우 예약 시스템을 개선하거나 대기실의 편의 시설을 추가해 만족도를 높일 수 있습니다.

피드백에 대한 응답 및 보상: 고객이 남긴 피드백에 응답하는 것은 고객과의 신뢰를 높이는 데 효과적입니다. 특히 부정적인 피드백에는 빠르고 성실한 답변을 제공하고, 해결 방법을 제시해 고객이 만족할 수 있도록 합니다. 긍정적인 피드백에는 감사 인사를 전하며, 피드백을 남긴 고객에게 소정의 쿠폰이나 할인 혜택을 제공하면 고객 참여가 더욱 활발해질 수 있습니다.

정기 개선 보고 및 업데이트 알림: 정기적으로 피드백을 바탕으로 개선된 사항을 고객에게 알려줍니다. 예를 들어, “고객님의 소중한 의견을 반영하여 대기실에 추가 편의 시설을 마련했습니다”와 같이 공지함으로써 고객에게 의견이 반영된다는 신뢰를 주고, 지속적인 관심을 유도할 수 있습니다.

이와 같은 고객 데이터 활용과 정기적인 피드백 반영 전략을 통해 고객 맞춤형 서비스를 제공하고, 고객의 목소리에 귀 기울여 서비스를 개선하면 고객 충성도와 사업의 경쟁력을 높일 수 있습니다.

직원 채용과 교육 프로그램

반려동물 사업에서 직원의 전문성과 서비스 태도는 고객의 신뢰를 결정짓는 중요한 요소입니다. 반려동물 전문 인력을 채용할 때는 자격 요건과 채용 시 주의사항을 철저히 검토해야 하며, 고품질의 서비스를 유지하기 위해 정기적인 교육과 훈련 프로그램을 운영하는 것이 필요합니다.

1) 반려동물 전문 인력의 채용과 자격 요건

고객과 반려동물을 만족시키는 서비스를 제공하기 위해서는, 관련 경험과 자격을 갖춘 직원이 필요합니다. 채용 시에는 기본적인 자격 요건을 검토하고, 서비스에 대한 이해와 반려동물에 대한 애정이 있는지를 중점적으로 평가해야 합니다.

기본 자격 요건

경력 및 자격증: 동물 관련 학과 졸업자, 동물 미용사 자격증 보유자, 동물 행동 관리사, 수의간호사 자격증 등 관련 자격을 갖춘 인력이면 좋습니다. 또한 반려동물 관련 경력이 있는 지원자는 서비스 품질을 높이는 데 큰 도움이 됩니다.

반려동물 이해도: 반려동물의 행동과 심리, 일반적인 건강 상태와 문제점에 대한 이해가 있어야 합니다. 특히 다양한 성향을 가진 반려동물을 다룰 수 있는 능력과 대처 능력이 요구됩니다.

상황 대처 능력: 예기치 않은 상황(예: 반려동물이 다치거나 탈출을 시도할 때)에 침착하게 대처할 수 있는 능력이 필요합니다. 응급 상황에서 적절한 조치를 취할 수 있는 훈련을 받은 경험이 있는지 확인합니다.

채용 시 주의사항

서비스 마인드 확인: 반려동물뿐만 아니라 보호자와의 소통도 중요하기 때문에, 친절하고 배려 깊은 태도를 가진 지원자를 우선적으로 고려합니다. 고객 응대 경험이 있는지, 그리고 반려동물을 대하는 태도와 서비스 마인드를 함께 평가합니다.

체력과 인내력: 반려동물 관리 업무는 체력과 인내가 필요하기 때문에, 관련 업무에 대한 이해와 체력적인 준비가 되어 있는지 확인합니다.

장기 근속 가능성: 반려동물은 안정적인 관계를 원하기 때문에, 지속적으로 같은 직원을 만나는 것이 중요합니다. 채용 시 장기 근속 의사가 있는지를 파악하여 채용합니다.

2) 서비스 품질 유지를 위한 직원 교육과 훈련 프로그램

반려동물 관리 및 고객 응대의 서비스 품질을 높이기 위해서는 지속적인 교육과 훈련 프로그램이 필수입니다. 정기적인 교육을 통해 반려동물 관리 기술과 고객 응대 역량을 강화하고, 사업의 경쟁력을 높일 수 있습니다.

기본 교육 프로그램

반려동물 케어 기술 교육: 반려동물의 건강 상태 확인 방법, 스트레스 관리, 기본적인 응급처치 방법을 교육합니다. 이를 통해 반려동물이 스트레스를 덜 받고 안전하게 관리될 수 있도록 합니다.

고객 응대와 서비스 마인드 교육: 고객과의 소통 기술, 불만 응대 방법, 서비스 태도 등을 교육하여, 고객 만족도를 높일 수 있도록 합니다. 고객의 기대를 초과하는 서비스 제공을 목표로 교육합니다.

위생 및 안전 관리 교육: 위생 관리와 청결 유지, 반려동물의 안전을 위한 시설 관리 및 소독 방법에 대한 교육을 진행합니다. 특히, 전염병 예방과 위생 규칙을 철저히 교육하여 안전한 환경을 유지하도록 합니다.

정기 훈련 프로그램

반려동물 행동 및 심리 훈련: 반려동물의 행동을 이해하고 다루는 방법에 대한 훈련을 정기적으로 실시합니다. 이는 특히 반려동물 유치원, 호텔에서 개별 반려동물의 성향에 맞는 관리를 제공하는 데 도움이 됩니다.

응급상황 대처 훈련: 갑작스러운 응급 상황(예: 강아지가 목에 이물질이 걸렸을 때, 심정지 발생 시)의 대처 방법을 정기적으로 훈

련하여, 신속하고 적절한 조치를 취할 수 있도록 준비합니다. CPR (심폐소생술) 훈련, 강아지 하임리히법 등 기본적인 응급처치 교육을 포함합니다.

반려동물 미용과 케어 기술 훈련: 미용을 제공하는 직원에게는 최신 미용 기술과 도구 사용법에 대한 정기적인 트레이닝을 제공합니다. 이를 통해 트렌디한 미용 스타일을 유지하고, 고객이 만족할 수 있는 결과를 제공합니다

.

평가와 피드백 시스템

정기 평가: 직원들의 서비스 품질과 기술 수준을 주기적으로 평가하고, 피드백을 제공하여 개선할 점을 파악합니다. 평가 결과를 바탕으로 맞춤형 교육 프로그램을 추가로 제공할 수 있습니다.

고객 피드백 반영: 고객 피드백을 바탕으로 서비스 개선 방향을 설정하고, 직원에게 피드백을 전달하여 교육에 반영합니다. 고객의 요구와 기대에 맞추어 서비스 품질을 지속적으로 향상시킬 수 있습니다.

이와 같은 채용과 교육 프로그램을 통해 전문성을 갖춘 인력을 확보하고, 지속적인 교육과 훈련을 통해 반려동물 서비스 품질을 유지 및 강화할 수 있습니다. 이를 통해 반려동물과 보호자가 모두 만족하는 신뢰도 높은 반려동물 서비스를 제공할 수 있습니다

애견미용사 채용 시 고려 사항: 스타일별 완성 시간 체크

애견미용사 채용 시에는 스타일별 미용 완성 시간을 체크하는 것이 중요합니다. 미용사가 각 스타일을 얼마나 효율적으로 완성할 수 있는지 파악하면 서비스 예약 및 고객 응대 시 시간을 효과적으로 관리할 수 있습니다.

예를 들어, 곰돌이 컷, 알머리컷, 빡빡이, 기본 트리밍 등 스타일에 따라 평균 소요 시간을 체크하고, 이를 기준으로 미용사의 실력을 평가할 수 있습니다. 스타일별로 소요 시간을 파악함으로써 예약 관리와 서비스 품질 유지에 큰 도움이 됩니다.

애견미용사 채용 조건: 프리랜서 형태와 수익 분배 비율

애견미용사 채용은 퍼센트 기반의 프리랜서 형태로 진행되며, 기본급을 제공하는 경우도 있습니다. 초보 미용사와 경력 미용사에게는 각각 다른 수익 분배 비율을 적용하여 미용사의 실력과 경험에 따라 보상체계를 차별화합니다.

초보 미용사: 초기 수익 분배 비율은 6:4 (미용사:업주)로 시작하며, 실력과 경험이 쌓이면 7:3으로 조정됩니다.

경력 및 실력 있는 미용사: 경력이 많고 실력이 우수한 미용사의 경우 최대 8:2까지 수익 분배 비율을 적용합니다.

부가 사항

식대 제공: 프리랜서 미용사에게 식대를 제공하여 근무 편의를 돕습니다.

부가가치세: 부가가치세 적용 여부는 프리랜서 미용사와 업주 간의 협의 사항입니다. 부가가치세 면세 사업장의 경우 부가가치세를 떼지 않습니다.

세금 처리: 프리랜서로 채용되는 미용사는 **원천징수세 3.3%**가 적용되며, 지급명세서를 신고해야 합니다.

재무 관리와 비용 절감 전략

반려동물 사업에서 성공적인 재무 관리는 사업의 안정성과 성장성을 확보하는 중요한 요소입니다. 특히 소규모 사업자는 운영 비용을 효율적으로 관리하고 예산을 체계적으로 계획하여 불필요한 비용을 줄이는 것이 중요합니다. 기본적인 회계 지식을 익히고 재무 관리 방법을 습득함으로써 사업의 재무 건전성을 높일 수 있습니다.

1) 운영 비용의 효율적 관리와 예산 계획

운영 비용을 효율적으로 관리하기 위해서는, 우선 비용 구조를 명확히 파악하고 이를 절감할 수 있는 전략을 마련해야 합니다. 주기적인 비용 점검과 예산 계획 수립은 비용 절감과 수익성 향상에 도움이 됩니다.

비용 구조 파악과 정기 점검: 사업 운영에 필요한 고정 비용(임대료, 직원 급여, 관리비 등)과 변동 비용(재료비, 소모품비, 마케팅비 등)을 구분하고, 주기적으로 점검합니다. 매달 비용 내역을 꼼꼼히 분석하여 비효율적인 지출을 줄일 수 있는 항목을 확인합니다.

예산 계획 수립: 월별, 분기별 예산 계획을 수립하여 운영 비용을 미리 예상하고, 이를 기준으로 지출을 관리합니다. 예산 초과를 방지하기 위해 각 비용 항목에 상한선을 설정하고, 예산 내에서 운영할 수 있도록 지출을 통제합니다.

비용 절감 전략

공급업체 협상: 장기적인 관점에서 거래하는 공급업체와의 협상을 통해 할인 혜택을 받거나, 대량 구매 시 단가를 낮출 수 있도록 합니다.

에너지 절약: 전기료 절감을 위해 필요하지 않은 시간대에 냉난방과 조명을 끄고, 효율적인 에너지 사용 습관을 만듭니다.

중고 자재 활용: 인테리어나 가구를 구입할 때, 비용을 절감하기 위해 중고 자재나 리폼된 제품을 활용하는 것도 좋은 방법입니다.

디지털 도구 활용: 매출과 지출을 체계적으로 기록하고 분석할 수 있는 회계 소프트웨어나 POS 시스템을 활용하면 실시간으로 재무 상황을 파악할 수 있으며, 효율적인 예산 관리와 비용 절감이 가능합니다.

2) 소규모 사업자가 알아야 할 회계 기초와 재무 관리 방법

소규모 사업자는 기본적인 회계 지식을 익혀 사업의 재무 상태를 체계적으로 관리하는 것이 중요합니다. 기초적인 회계 관리 능력은 사업의 수익성을 유지하고, 성장 가능성을 확보하는 데 도움을 줍니다.

기본 회계 지식

손익 계산서(Income Statement): 사업의 수익과 비용을 계산하여 순이익을 확인하는 손익 계산서는 월별, 분기별로 작성하여 수익성을 평가할 수 있습니다. 이를 통해 주요 비용 항목을 파악하고 불필요한 지출을 줄일 수 있습니다.

대차대조표(Balance Sheet): 사업의 자산, 부채, 자본을 나타내는 대차대조표를 작성하여 재무 상태를 한눈에 파악합니다. 자산과 부채의 균형을 유지하여 재무 건전성을 확보합니다.

현금흐름표(Cash Flow Statement): 현금의 유입과 유출을 기록하여, 현금이 부족하지 않도록 자금 흐름을 관리합니다. 이 보고서는 특히 자금이 필요한 시기를 예측하여 대비할 수 있게 해 줍니다.

재무 관리 방법

현금흐름 관리: 소규모 사업자는 현금 흐름을 주기적으로 점검하여 갑작스러운 현금 부족 상황을 예방해야 합니다. 현금 흐름 예측을 통

해 미리 자금 조달 계획을 세우거나, 지출을 조정하여 자금 관리에 대비합니다.

세금 관리: 부가가치세, 원천세 등 사업 운영에 필요한 세금을 이해하고, 마감일에 맞춰 신고할 수 있도록 체계적으로 관리합니다. 소규모 사업자는 세금 신고와 납부 절차를 꼼꼼히 숙지하여 불필요한 과태료나 세금 부담을 피할 수 있습니다.

비상 자금 확보: 예상치 못한 상황에 대비할 수 있도록 비상 자금을 별도로 마련해 둡니다. 사업 규모에 따라 한 달에서 세 달 치의 운영 비용을 비상 자금으로 확보해 두는 것이 좋습니다.

지출 기록 및 예산 관리 툴 활용: 매출과 지출을 일관되게 기록하고 분석하기 위해 스프레드시트나 회계 소프트웨어를 사용합니다. 이를 통해 실시간으로 사업의 재무 상황을 모니터링하고, 예산 관리에 도움이 됩니다.

이러한 재무 관리와 비용 절감 전략을 통해, 소규모 사업자는 자원을 효율적으로 활용하고 재정적인 안정성을 확보할 수 있습니다. 주기적인 비용 점검과 예산 계획, 그리고 기본 회계 지식의 습득은 장기적인 사업 성공에 중요한 역할을 합니다.

고객 충성도와 재방문 유도 전략

반려동물 사업에서 고객 충성도와 재방문을 유도하는 것은 사업의 안정성과 장기적인 성공을 위해 필수적입니다. 충성도 높은 고객은 반복적으로 서비스를 이용하고 긍정적인 입소문을 내어 신규 고객 유입에도 기여하므로, 멤버십 프로그램과 다양한 혜택을 통해 고객이 지속적으로 방문하도록 유도할 수 있습니다. 또한, 정기적인 이벤트와 프로모션을 통해 고객의 관심을 유지하고, 재방문을 자연스럽게 이끌어낼 수 있습니다.

1) 고객 유지와 재방문 유도 프로그램 기획

멤버십 프로그램과 특별한 혜택을 통해 고객이 장기적으로 서비스를 이용하도록 유도할 수 있습니다. 고객 유지 프로그램을 체계적으로 설계하여 충성 고객을 확보하는 것이 핵심입니다.

멤버십 프로그램: 고객에게 일정한 금액 이상의 서비스 이용 시 멤버십 자격을 부여하고, 멤버십 등급에 따라 혜택을 제공하여 고객 충성도를 높입니다.

기본 멤버십: 일정 횟수 이용 시 10% 할인 등 기본 혜택을 제공하여, 신규 고객이 더 자주 방문하도록 유도합니다.

프리미엄 멤버십: 정기적으로 높은 금액을 지출하는 고객을 위한 프리미엄 멤버십을 제공하여, 서비스의 VIP 대우를 받는 느낌을 줍니

다. 예를 들어, 무료 미용 서비스, 프리미엄 간식 제공, 특별한 케어 프로그램 이용 등 혜택을 포함시킵니다.

적립 포인트 시스템: 서비스 이용 시마다 포인트를 적립하여 포인트로 무료 서비스를 제공하거나 할인 혜택을 제공해, 재방문을 유도합니다.

정기 방문 프로그램: 특정 서비스(예: 미용, 호텔, 유치원)를 정기적으로 이용하는 고객에게 정기 방문 패키지를 제공하여, 정기적인 방문을 유도합니다.

미용 패키지: 매월 또는 격월 미용 서비스를 예약하면 할인 혜택을 주거나, 특정 횟수 이용 시 무료 서비스를 제공합니다.

호텔 및 유치원 패키지: 반려동물 호텔이나 유치원을 정기적으로 이용하는 고객에게 할인된 가격을 제공하거나, 장기 투숙 시 추가 혜택을 부여합니다.

2) 고객 충성도를 높이는 이벤트와 프로모션 기획

정기적인 이벤트와 프로모션은 고객의 관심을 유지하고, 재방문을 이끌어내는 좋은 방법입니다. 창의적이고 매력적인 이벤트를 통해 고객이 즐거운 경험을 할 수 있도록 유도하고, 이를 통해 고객 충성도를 높입니다.

정기적인 이벤트 기획: 시즌별 또는 특별한 기념일을 활용해 반려동물과 보호자가 함께 즐길 수 있는 이벤트를 마련합니다.

생일 이벤트: 반려동물의 생일에 미용 서비스나 반려동물 간식을 무료로 제공하여 특별한 경험을 선사합니다.

시즌 이벤트: 봄, 여름, 가을, 겨울 등 계절에 맞는 테마 이벤트(예: 여름 물놀이, 할로윈 파티)를 통해 고객의 관심을 지속적으로 유지합니다.

사진 촬영 행사: 반려동물과 보호자가 함께 참여할 수 있는 사진 촬영 행사를 통해 특별한 추억을 남길 수 있는 기회를 제공합니다.

SNS 및 리뷰 이벤트: 고객이 리뷰를 작성하거나 SNS에 사업장 관련 게시물을 올릴 경우 혜택을 제공하여 자연스러운 홍보 효과를 얻고, 더 많은 고객의 참여를 유도합니다.

리뷰 작성 이벤트: 서비스 이용 후 리뷰를 작성해준 고객에게 소정의 할인 쿠폰을 제공하거나, 추첨을 통해 선물을 지급합니다.

SNS 공유 이벤트: 고객이 반려동물과 함께한 경험을 인스타그램, 페이스북 등 SNS에 공유하도록 장려하고, 참여 고객에게 포인트 적립 또는 사은품을 제공합니다.

특별 프로모션: 신규 고객을 유치하고 기존 고객의 재방문을 유도하기 위해, 한정 기간 동안 특별한 프로모션을 진행합니다.

첫 방문 할인: 신규 고객이 첫 방문 시 특별 할인을 제공하여 첫 경험을 긍정적으로 만듭니다.

프리미엄 서비스 체험권: 일정 금액 이상의 서비스 이용 시 프리미엄 서비스(예: 스파, 고급 간식) 체험권을 제공하여, 고객이 고급 서비스를 경험하고 재방문하도록 유도합니다.

단골 고객 감사 할인: 일정 횟수 이상 방문한 고객에게 감사할인 쿠폰을 제공하여, 고객이 장기적으로 서비스를 이용하도록 격려합니다.

이와 같은 멤버십 프로그램, 정기 방문 패키지, 이벤트, 프로모션 전략은 고객의 충성도를 높이고 사업장의 재방문율을 증가시키는 데 효과적입니다. 고객이 지속적으로 반려동물 서비스에 관심을 갖고 참여하도록 유도하여, 장기적으로 충성 고객을 확보하는 기반을 마련할 수 있습니다

제 4 화 전문 노하우

강아지 분양업 노하우

강아지 분양 전 확인 사항

1. 건강 상태 체크리스트

분양받을 강아지의 건강 상태를 체크하는 것은 매우 중요합니다. 이 체크리스트를 통해 강아지가 건강한 상태로 분양되고 있는지 확인할 수 있습니다. 주요 체크 포인트는 다음과 같습니다

- 숨골: 강아지의 호흡 상태를 확인합니다. 정상적인 호흡이 이루어지는지, 호흡에 어려움이 없는지 살펴봅니다.
- 눈과 귀: 눈이 맑고 깨끗한지, 귀가 깨끗하고 염증이 없는지 확인합니다.
- 피부 상태: 피부에 발진, 탈모, 기타 이상이 없는지 검사합니다.
- 가슴뼈와 다리: 외형적으로 변형이나 부상의 징후가 있는지 점검합니다.
- 심장소리와 배꼽탈장: 심장소리가 정상인지, 배꼽 부위에 이상이 없는지 확인합니다.
- 항문 주위와 꼬리: 항문 주위의 청결 상태와 꼬리의 상태를 확인합니다.

2. 체온 검사의 중요성

강아지의 체온은 그들의 건강 상태를 가늠하는 중요한 지표입니다. 정상 체온 범위는 대략 38.3°C에서 39.2°C 사이입니다. 체온이 이 범위를 벗어날 경우, 강아지가 질병을 앓고 있을 가능성이 높으므로 분양 전 반드시 체크해야 합니다. 체온이 비정상적으로 높거나 낮은 경우, 추가적인 건강 검진이 필요할 수 있습니다.

체온을 측정할 때는 체온계의 소독을 철저히 하고, 강아지가 편안하게 느끼도록 조심스럽게 측정해야 합니다. 체온 검사는 강아지의 건강 관리에서 생략할 수 없는 중요한 절차로, 분양받는 강아지가 건강한 시작을 할 수 있도록 도와줍니다.

분양 후 새끼 강아지 관리

1. 방역의 중요성

새끼 강아지를 집으로 데려온 후 가장 중요한 관리 중 하나는 방역입니다. 새로운 환경에 적응 중인 강아지는 면역력이 약할 수 있으므로, 감염병으로부터 보호하는 것이 중요합니다. 방역은 강아지의 건강을 유지하고, 질병의 확산을 예방하는데 큰 역할을 합니다.

방역 절차: 강아지가 새로운 환경에 들어오기 전과 후에 매장을 청소하고, 소독해야 합니다. 특히 강아지가 자주 접촉하는 장소와 물건은 꼼꼼히 청소하고 정기적으로 소독하는 것이 좋습니다.

방역 방법:

- **락스 희석:** 일반적으로 락스를 사용하여 방역을 할 때는 락스를 적절히 물로 희석하여 사용합니다. 희석된 락스 용액을 분무기에 넣어 사용하면 감염원을 효과적으로 제거할 수 있습니다.
- **크린덱스 사용:** 크린덱스와 같은 전문적인 소독제를 사용하는 것도 좋은 방법입니다. 이러한 제품들은 특히 동물 병원이나 애견샵에서 많이 사용되며, 바이러스 및 세균을 효과적으로 제거할 수 있습니다.

방역을 할 때는 분무 후 충분히 건조시켜야 하며, 강아지가 소독제에 직접 접촉하지 않도록 주의해야 합니다. 또한 사용하는 소독제가 강아지에게 안전한지 확인하는 것이 중요합니다.

방문자 관리: 새끼 강아지가 있는 집을 방문하는 사람들은 반드시 손을 씻고, 소독 절차를 따르도록 해야 합니다. 방문자의 신발은 바깥에서 강아지가 접근하지 못하게 해야 합니다.

2. 위생 관리

새끼 강아지를 관리할 때는 개인 위생을 철저히 해야 합니다. 강아지와의 직접적인 접촉 전후로 손을 깨끗이 씻는 것은 기본적인 예방 조치입니다.

일회용 장갑 사용: 강아지를 만지기 전에는 일회용 장갑을 착용하고 사용 후에는 즉시 버려야 합니다. 이는 강아지와 사람 간의 교차 감염을 방지하는 데 도움이 됩니다.

새끼 강아지의 건강과 안전을 위해 방역과 개인 위생 관리는 필수적인 조치입니다. 철저한 관리는 강아지가 건강하게 성장하는 데 중요한 역할을 합니다.

브리더와의 커뮤니케이션

강아지 분양 시 브리더와의 효과적인 커뮤니케이션은 강아지가 새로운 환경에 성공적으로 적응하고 건강하게 성장하는 데 중요합니다. 특히, 사료 급여 방법과 물 마시기 교육은 강아지의 일상 생활에서 매우 중요한 부분입니다.

사료 급여 방법

사료의 종류 및 브랜드 확인: 브리더에게 강아지가 먹던 사료의 종류와 브랜드를 확인하세요. 갑작스러운 사료 변경은 강아지의 소화 시스템에 부담을 줄 수 있습니다.

급여량과 빈도: 강아지의 나이, 크기, 활동량에 따라 적절한 급여량과 빈도를 브리더와 상의하세요. 초기에는 브리더가 설정한 급여 스케줄을 따르는 것이 강아지의 건강 유지에 도움이 됩니다.

특별한 영양 요구사항: 일부 강아지는 특별한 영양 요구사항이 있을 수 있습니다. 예를 들어, 알레르기가 있는 강아지의 경우 특정 재료가 제외된 사료를 필요로 할 수 있습니다. 이에 대한 정보도 브리더로부터 얻어야 합니다.

물 마시기 교육

물 마시기 방법 교육: 강아지가 물을 마시는 방법을 모르는 경우가 있을 수 있습니다. 강아지의 코를 가볍게 물그릇 가까이로 인도하고, 물에 코를 살짝 담갔다 빼는 방법을 보여주어 강아지가 물을 마시는 방법을 배울 수 있도록 돕습니다.

탈수 방지: 강아지가 충분한 양의 물을 섭취하도록 하여 탈수를 예방합니다. 물그릇은 항상 깨끗하게 유지하고, 강아지가 쉽게 접근할 수 있는 곳에 두어야 합니다.

분양장 관리 및 격리 기간

분양받은 강아지를 새로운 환경에 안전하게 적응시키기 위해 분양장 관리와 격리 기간이 매우 중요합니다. 이를 통해 강아지의 건강을 보호하고, 잠재적인 질병의 확산을 예방할 수 있습니다.

분양장으로의 안전한 이동

이동 준비: 강아지를 안전하게 이동시키기 위해 적절한 크기의 이동장을 준비합니다. 이동장은 통풍이 잘 되어야 하며, 강아지가 편안하게 누워있을 수 있는 공간이 필요합니다.

이동 중 스트레스 최소화: 강아지가 스트레스를 받지 않도록, 조용하고 안정된 환경에서 이동합니다. 급작스러운 소음이나 움직임을 피하고, 이동 중 강아지를 위로하며 안정을 제공합니다

격리 기간의 필요성 및 관리 방법

격리 기간 설정: 분양받은 강아지는 고객이 보는 분양장으로 바로 가기 전에 **14주일의 격리 기간을 거치는 것이 바람직합니다.** 이 기간 동안 강아지는 격리실에 마련된 특별 분양장에서 지내며, 다른 강아지들과의 직접적인 접촉을 피합니다.

격리 공간의 조건: 격리 공간은 청결하고 조용해야 합니다. 강아지가 안정감을 느낄 수 있도록 필요한 장난감과 침구를 제공하고, 정기적으로 청소하여 위생을 유지합니다.

건강 모니터링 및 질병 예방: 격리 기간 동안 강아지의 건강 상태를 주의 깊게 관찰하고, 증상이 나타나면 즉시 수의사의 진료를 받습니다. 이 시기는 강아지가 새로운 환경에 적응하는 중요한 시기이므로, 강아지가 편안함을 느낄 수 있도록 배려하는 것이 중요합니다. 격리 기간은 또한 잠재적인 바이러스로부터 강아지를 보호하는 데 중요한 역할을 합니다.

이러한 절차를 통해 강아지가 건강하게 성장할 수 있는 환경을 제공하며, 장기적으로 안전하고 건강한 생활을 할 수 있도록 돕습니다..

강아지 케어 방법: 면역력 강화

강아지 분양 중 면역력 관리는 매우 중요합니다. 면역력은 강아지의 체온과 밀접하게 연관되어 있으므로, 분양장의 온도 유지가 핵심입니다.

온도 관리

- 분양장의 바닥 온도는 최소 36도에서 37도로 유지되어야 합니다. 그러나 실제 온도는 이보다 낮을 수 있으므로, 강아지의 면역력 유지를 위해 바닥이 뜨거울 정도로 온도를 설정하는 것이 좋습니다.

접종 및 건강 관리

- 분양받은 강아지에게는 데리고 온 날부터 2~3일간 식성, 변 상태, 구토 여부를 관찰합니다. 이상이 없을 경우 원충과 구충 처리를 하고, 상태가 좋다면 접종을 진행합니다.
- 접종 전에 변 상태 이상, 구토, 식성 감소 등의 증상이 관찰되면 접종을 연기하고 상태를 신중하게 관찰해야 합니다. 이러한 증상이 지속되면 바이러스 초기 증상으로 의심하고 적극적인 관리가 필요합니다.

강아지 분양 시 신중해야 할 시기: 음력 3월 15일 ~ 4월 20일

강아지 분양을 고려할 때, 특히 주의해야 할 시기가 있습니다. 벚꽃이 피고 비가 오는 시기, 즉 음력 3월 15일부터 4월 20일까지는 강아지의 면역력에 치명적인 변화가 있을 수 있는 중요한 시기입니다.

기온 변화의 영향

- 이 시기는 기온 차이가 크게 나타나기 때문에 강아지의 생체리듬이 교란될 수 있습니다. 벚꽃이 만발하는 시기에는 낮과 밤의 기온 차이가 10도 이상 나기도 하며, 이로 인해 강아지의 면역력이 저하될 수 있습니다.

면역력 저하와 질병 위험

- 강아지들이 면역력이 약화된 상태에서 거래되는 경우, 파보바이러스, 홍역 등 여러 질병에 취약해질 수 있습니다. 이런 이유로, 벚꽃이 지고 난 후 비가 오는 시기에는 분양을 매우 신중하게 진행해야 합니다.

분양 전문가의 조치

- 이 시기에는 강아지 분양 전문가들도 특별히 주의를 기울이며, 필요한 경우 이 시기를 피해 휴가를 가기도 합니다. 또한, 기존에 있던 강아지들의 면역력을 높이기 위해 접종에 더욱 신경을 쓰는 것이 좋습니다.

이 시기에 분양받은 강아지들은 특별한 관리가 필요하며, 이를 간과할 경우 강아지의 건강에 심각한 문제가 발생할 수 있습니다. 따라서, 강아지를 분양받고자 할 때는 시기를 신중하게 고려하는 것이 중요합니다.

분양 후 강아지 케어 방법

분양 시 강아지에 대한 등록과 분양 계약서 작성은 필수입니다. 분양 후 적절한 관리를 통해 사고를 미연에 방지하는 것이 중요하며, 아래는 강아지 분양 후 꼭 지켜야 할 사항들입니다.

1. 사료 급여 관리

정확한 사료의 양을 정해 그에 맞게 급여해야 합니다. 과도한 급여는 강아지의 건강을 해칠 수 있으므로, 정량을 준수하는 것이 중요합니다.

2. 울타리에서의 생활 유지

강아지는 울타리 내에서 생활하도록 해야 합니다. 울타리 밖에서 활동할 경우, 높은 활동량으로 인해 피로가 누적되고 다음 날 당수치가 떨어져 쇼크 상태에 빠질 수 있습니다.

3. 집에서의 초기 적응 기간

강아지가 새로운 환경에 도착한 후 최소 2주간은 강아지의 식사, 배변, 수면 패턴을 모니터링합니다. 이 기간 동안 강아지가 잘 먹고, 배변을 잘 하며, 충분한 수면을 취하면 건강하다고 볼 수 있습니다.

4. 과도한 활동 주의

신규 견주가 강아지와 놀아주거나 지나치게 훈련을 시키려는 경향이 있습니다. 하지만 분양 초기에는 강아지가 충분히 적응할 수 있도록 휴식을 제공해야 하며, 계속해서 안고 있거나 무리한 활동을 시키지 않아야 합니다.

5. 견주에게의 고지 사항

분양을 진행하는 동안 위 사항들을 견주에게 명확히 전달하고, 강아지의 초기 적응 기간 동안 무리한 활동을 자제하도록 지도합니다. 이는 강아지의 건강 유지 및 잠재적인 사고나 질병을 예방하는 데 도움이 됩니다.

분양 후 케어는 강아지의 건강뿐만 아니라 장기적인 행동 패턴 형성에도 중요한 영향을 미치므로, 모든 조치가 철저히 이행되어야 합니다.

강아지경매장에 대한 이해

강아지 분양 시장에는 경매장이 종종 부정적인 인식을 받는 경우가 있습니다. 일부 사람들은 강아지 경매장을 도덕적으로 부적절한 곳으로 보지만, 실제로는 전문 견사와 애견샵 모두 강아지 경매장을 이용할 수 있습니다.

경매장과 전문견사

- **전문견사와의 거래:** 전문 견사를 운영하는 애견샵은 경매장을 통하지 않고 직접 거래를 하기도 합니다. 이는 전체 거래의 일부만을 포함할 수 있으며, 따라서 애견샵은 이를 홍보할 수 있습니다.
- **경매장 이용의 일반성:** 많은 전문견사가 경매장을 이용하여 강아지를 분양합니다. 분양을 하면서 특정 견사와 자주 거래하게

되고, 이로 인해 일부는 경매장을 통하지 않고 직접 거래가 성립될 수도 있습니다

경매장의 역할

- **경매장의 가치 판단:** 경매장에서의 거래는 강아지의 가치를 냉정하게 판단받을 수 있는 기회를 제공합니다. 경매장에서 분양되는 강아지의 가격은 종종 300만 원에서 1,000만 원 사이이며, 이는 강아지의 품질과 유전적 가치를 반영합니다.
- **오해의 해소:** 경매장이 저렴한 강아지나 개농장에서 나온 강아지만을 취급한다는 것은 오해입니다. 전문견사도 경매장을 통해 고품질의 강아지를 분양하기 때문에, 고가의 강아지도 경매장을 통해 분양되곤 합니다.

이와 같이 강아지 경매장은 다양한 견사와 애견샵에 필요한 서비스를 제공하며, 강아지의 가치를 시장에서 평가받는 중요한 장소로 기능합니다. 이러한 시장의 역할을 이해하고 올바르게 활용하는 것이 강아지 분양업의 성공에 중요할 수 있습니다.

분양하는 강아지의 이미지 처리

분양업계에서 강아지의 외모를 더욱 매력적으로 보이게 하기 위해 포토샵을 사용하는 경우가 많습니다. 이러한 행위는 일부에서 비판의 대상이 될 수 있지만, 현대의 마케팅 및 광고에서는 흔히 볼 수 있는 관행입니다. 제품 판매나 인플루언서들도 소셜 미디어에 이미지를 게시하기 전에 흔히 이미지를 수정합니다.

사용되는 포토샵 도구:

- **픽셀아트(PixelArt):** 이미지의 픽셀을 조정하여 더욱 섬세하고 매끄러운 표현이 가능하게 해줍니다.
- **메이투(Meitu):** 포토샵과 비슷한 기능을 제공하며, 특히 자연스러운 미용 효과를 추가하는 데 유용합니다.

이러한 도구를 사용함으로써 분양샵은 강아지의 매력을 최대화하려고 합니다. 그러나 소비자로서는 실제 강아지의 모습을 확인하기 위해 직접 방문하거나 추가적인 사진과 정보를 요구하는 것이 중요합니다. 강아지의 건강과 특성이 외모만큼 중요하므로, 외형의 미화에만 의존하지 않고 전반적인 정보를 고려하는 것이 바람직합니다.

미래의 애견 분양 사업 전망

앞으로의 애견 분양 사업은 더욱 전문화될 전망입니다. 특정 품종(예: 포메라니안, 비숑 프리제, 말티즈)에 집중하는 전문 분양이 주류를 이룰 것으로 보입니다. 이러한 전문화는 소비자들이 특정 품종에 대한 높은 수준의 전문 지식과 품질을 요구함에 따라 강화될 것입니다.

브리더를 통한 분양의 중요성

- **품질 보증:** 브리더를 통한 분양은 강아지의 건강과 유전적 특성을 보증할 수 있으며, 사후 관리와 같은 추가 서비스를 제공할 수 있습니다.
- **소비자 신뢰도 향상:** 직접 브리더와의 거래는 투명성을 제공하며 소비자 신뢰를 높일 수 있습니다.

전통적 분양 샵의 변화

- **소비자 인식의 변화:** 소비자들은 점점 더 윤리적이고 동물 복지에 중점을 두는 분양 방식을 선호하고 있습니다. 분양장에서 갇혀 지내는 강아지들에 대한 비판이 증가함에 따라, 이러한 방식의 샵들은 소비자들의 외면을 받을 가능성이 높습니다.
- **법적 및 사회적 압력:** 동물 복지에 대한 법적 규제가 강화됨에 따라, 더욱 엄격한 기준을 충족시키지 못하는 전통적인 분양 샵들은 시장에서 생존하기 어려워질 것입니다.

이러한 변화는 국내외 동물 복지 정책의 강화와 소비자들의 의식 개선이라는 더 넓은 사회적 트렌드를 반영하고 있습니다. 따라서 앞으로의 애견 분양 사업은 투명성, 전문성, 그리고 동물 복지를 중심으로 진화할 것으로 예상됩니다.

강아지 미분양 대처 방법

1. 온라인 홍보: 강아지의 사진과 정보를 소셜 미디어, 애견 관련 커뮤니티, 전문 웹사이트에 올려 넓은 범위에서 관심을 유도합니다.
2. 분양 이벤트: 할인 분양 이벤트를 개최하여 강아지에 대한 관심을 끌고, 분양률을 높입니다.
3. 품질 유지: 고품질의 혈통견이나 견체가 우수한 강아지를 선택하여 데려옴으로써, 미분양 강아지의 가치를 유지합니다.

강아지 호텔업 노하우

유기견 대응 방안: 예방

계약을 통한 예방 조치

- **위탁 계약서 작성:** 애견 호텔이나 위탁 업체는 동물을 맡기는 고객과 위탁 계약서를 작성할 때, 특정 기간 내에 동물을 찾아가지 않을 경우 동물 소유권을 포기하는 조항을 명시할 수 있습니다. 이 조항은 유기 동물 처리에 대한 법적 근거를 마련하여, 업체가 유기된 동물을 적절히 관리하거나 새로운 보호자를 찾는 데 도움을 줄 수 있습니다.
- **포기 각서:** 고객이 동물을 유기할 경우의 법적 책임을 명확히 하기 위해, 포기 각서를 받는 것도 한 방법입니다. 이는 동물을 데려가지 않을 시 발생할 수 있는 법적 조치에 대한 경고로 작용할 수 있습니다.

법적 근거

- **동물보호법 위반 처벌:** 현행 동물보호법에 따르면, 동물을 유기하는 행위는 법적으로 금지되어 있으며, 이를 위반할 경우 300만 원 이하의 벌금에 처해질 수 있습니다. 이는 유기된 동물에 대한 사회적, 법적 책임을 강조하고 있습니다.

이러한 조치는 유기견 문제를 예방하는 데 중요한 역할을 할 수 있으며, 동물을 맡기는 개인뿐만 아니라 애견 호텔과 같은 업체에도 법적 틀 내에서 동물을 보호하고 적절히 관리할 수 있는 권한을 제공합니다. 이는 유기 동물 문제를 줄이는 데 기여할 수 있습니다.

위약벌 조항의 설정

위약벌의 개념

위약벌은 계약상 의무를 이행하지 않을 경우 상대방에게 지불하는 금액으로, 벌금 형태로 이해할 수 있습니다. 이는 계약 위반 자체에 대한 처벌로, 손해배상과는 별개로 취급됩니다. 위약벌은 일반적인 손해배상과 달리, 실제 발생한 손해의 크기와 관계없이 미리 계약에서 정한 금액을 지불하게 되므로, 손해 산정에 대한 복잡한 법적 분쟁을 줄일 수 있습니다.

계약서에 위약벌 조항 포함하기

위약벌 조항 예시: "반려동물을 유기할 경우, 유기 발생 시점부터 사건이 종결될 때까지 발생하는 애견호텔의 비용을 위약벌로서 최대 300만원까지 당사에게 지급해야 합니다. 이 위약벌은 당사의 손해배상 청구권과 별도로 적용되며, 계약 위반으로 인한 손해배상 청구와는 무관합니다.“

위약벌 조항을 계약서에 명시함으로써, 애견호텔 운영자는 동물 유기라는 비윤리적 행위에 대해 보다 효과적으로 대응할 수 있습니다. 이 조항은 법적 분쟁 발생 시, 계약 이행의 보장뿐만 아니라 적절한 경제적 보상을 받는 데 도움을 줄 수 있습니다.

무료법률상담 서비스는 경기도뿐만 아니라 전국적으로 제공되고 있습니다. 각 지방자치단체에서는 주민들을 위해 다양한 법률 문제에 대한 상담을 지원하고 있으며, 이는 강아지를 포함한 동물 파양과 관련된 법률적 문제에도 도움을 줄 수 있습니다.

전국 무료법률상담 서비스 이용 안내

서비스 내용

- 상담 가능 분야: 동물 파양과 관련된 법률 문제, 민사, 형사, 가사 사건 및 세무 관련 상담
- 상담 대상: 해당 지역 주민 누구나

상담 방법

전화상담과 방문상담: 각 지역 콜센터 또는 법률지원센터를 통해 예약 가능

이용 절차

1. **예약:** 해당 지역 콜센터 또는 법률지원센터로 전화하여 상담 예약
2. **상담:** 예약한 시간에 맞춰 전화상담 또는 방문상담 진행

전국의 많은 지자체에서 제공하는 이 서비스를 통해, 강아지 파양 등 동물 관련 법률 문제에 대해 전문적인 상담을 받을 수 있으며,

각 지역의 상황에 맞는 법률적 조언과 지원을 받을 수 있습니다. 이를 활용해 법률 문제를 미리 예방하고, 필요한 경우 적절한 조치를 취할 수 있습니다.

애견호텔 노하우: 숙박을 넘어 경험으로 전환하기

애견호텔 사업은 진입 장벽이 낮아 누구나 쉽게 시작할 수 있지만, 그만큼 경쟁도 치열합니다. 성공적인 애견호텔 운영을 위해서는 단순히 동물을 보호하는 것을 넘어, 고객과 그들의 반려동물에게 특별한 경험을 제공해야 합니다. 여기서 중요한 것은 창업 전에 충분한 계획과 준비를 갖추는 것입니다. 인테리어, 서비스, 경험의 차별화가 필수적입니다.

1. 강력한 브랜딩 전략

- 브랜드 구축의 중요성: "모든 비즈니스는 브랜딩이다"라는 원칙을 기억하세요. 시장에서 본인의 애견호텔을 돋보이게 할 강력한 브랜드 정체성을 구축하는 것이 중요합니다.
- 가치 제안: 시장 조사를 통해 경쟁자와 차별화할 수 있는 독특한 가치를 창출하고, 이를 고객에게 명확히 전달해야 합니다.

2. 고객 경험의 다양화

- 인터랙티브 경험 제공: 고객에게 반려동물의 일상을 사진이나 비디오로 공유하여 투명성을 제공합니다. 이는 고객의 신뢰를

쌓고, 장기적인 관계를 유지하는 데 도움이 됩니다.

- 맞춤형 프로그램 개발: 애견호텔만의 특색 있는 프로그램을 개발하여 고객에게 참여형 경험을 제공하세요. 예를 들어, 계절별 이벤트, 교육 세션, 건강 증진 프로그램 등을 운영할 수 있습니다.

애견호텔을 창업할 때는 비즈니스 측면뿐만 아니라, 반려동물과 그 소유자에게 긍정적인 경험을 제공하여 시장에서 지속 가능한 성장을 이룰 수 있는 전략을 세워야 합니다. 이러한 접근 방식은 단기적인 성공을 넘어, 장기적인 고객 충성도와 브랜드 가치를 높이는 데 기여할 것입니다.

현명한 고객 대처법: 진상 고객 관리하기

사업을 운영하면서 진상 고객을 만날 수 있습니다. 이러한 고객은 종종 악성 리뷰나 부정적인 블로그 포스트를 작성하여 사업의 이미지에 타격을 줄 수 있습니다. 상황에 적절하게 대처하는 것은 사업의 평판을 유지하고 매출에 미치는 영향을 최소화하는 데 필수적입니다.

1. 환불 정책

- **신속한 처리:** 고객이 사용 중 불만을 표현하며 환불을 요구할 때는 신속하게 환불을 제공하는 것이 좋습니다. 이는 문제를 빠

르게 해결하고 상황을 마무리 지을 수 있는 방법입니다.

2. 사과의 기술

- **고객 사과의 적절한 방법**
- 사업을 운영하면서 발생하는 오류나 불만에 대해 사과하는 것은 필수적입니다. 그러나 사과의 방식은 매우 신중해야 하며, 너무 자신을 낮추는 '어린' 사과는 피해야 합니다. 예를 들어, "죄송합니다ㅠㅠ, 견주님. 제가 잘 확인을 못했네요ㅠㅠ. 죄송합니다." 와 같은 표현은 비굴하게 들릴 수 있으며, 이는 나중에 문제를 복잡하게 만들 수 있습니다. 이러한 사과가 받아들여진 후에도 고객이 악성 리뷰를 작성하거나 법적 조치를 취할 경우, 사업주의 대응 방식과 대조되어 고객의 혼란을 증가시킬 수 있습니다.
- 사과는 최대한 절제되고 단호해야 합니다. 고객이 오해하고 있는 부분을 명확히 하고, 이를 정중하게 설명해주는 것이 중요합니다. 진상 고객의 경우, 일관된 단호함과 현명함이 필요합니다.

의사소통 방법 선택

- 효과적인 의사소통을 위해 문자 메시지와 전화 통화의 사용을 적절히 구분하는 것이 중요합니다. 일부 상황에서는 전화 통화가 더 적합할 수 있으며, 모든 내용을 문자로 남기는 것은 문제를 야기할 수 있습니다. 문자 메시지는 문제가 발생했을 때의 흐름을 기록하는 데 유용하지만, 민감한 내용은 직접 통화를 통해 더 잘 해결할 수 있습니다.

애견호텔 유치원의 선불 결제 방식의 필요성

애견호텔 유치원의 결제 방식을 선정할 때는 여러 가지 이유로 선불 결제 방식을 채택하는 것이 바람직합니다. 선불 결제는 호텔 운영에 몇 가지 중요한 이점을 제공하며, 사업의 효율성과 재무 안정성을 높이는 데 기여합니다.

1. 재정 안정성 확보: 선불 결제를 통해 서비스 이용 전에 비용을 수령함으로써, 사업의 현금 흐름을 개선하고 재정적 안정성을 확보할 수 있습니다. 이는 예상치 못한 취소나 미수금 발생 위험을 줄이며, 계획적인 재정 관리가 가능하게 합니다.
2. 서비스 운영의 효율성: 고객이 서비스를 이용하기 전에 결제를 완료함으로써, 애견호텔은 운영 계획을 더 정확하게 수립할 수 있습니다. 예약 시스템과 금전 관리가 간소화되어, 서비스 질을 유지하면서 관리 부담을 줄일 수 있습니다.
3. 고객의 약속 이행 촉진: 선불 결제는 고객이 서비스 이용 약속을 지키도록 유도합니다. 이미 결제를 완료했다는 사실이 고객의 노쇼(No-Show, 예약 후 불참) 가능성을 낮추고, 예약 취소 시에도 사전에 정해진 취소 정책에 따라 처리가 가능합니다.
4. 경영의 단순화: 후불 결제 시 발생할 수 있는 복잡한 청구 절차와 미수금 추적을 방지하여, 경영을 단순화합니다. 이는 관리적인 측면에서 시간과 자원을 절약할 수 있게 해 줍니다.
5. 고객 서비스 개선: 선불 결제를 통해 확보된 자금을 바탕으로

더 나은 서비스 투자가 가능해집니다. 예를 들어, 더 훌륭한 시설 개선, 직원 교육 강화 등에 자금을 할당할 수 있으며, 이는 고객 만족도를 높이는 결과로 이어질 수 있습니다.

이와 같은 이유로, 애견호텔 유치원은 선불 결제 방식을 채택함으로써 비즈니스의 안정성과 성장을 도모할 수 있으며, 서비스의 질을 지속적으로 개선하고 고객 만족을 극대화할 수 있습니다.

애견호텔 입실 및 퇴실 체크리스트 운영의 중요성

애견호텔을 운영하며 발생할 수 있는 다양한 클레임 중 가장 빈번하게 문제가 되는 시점은 퇴실 때입니다. 강아지가 묻어있는 오물, 상처 또는 기타 문제들이 발견되어 견주가 집에 도착한 후 이를 발견하게 되면, 이는 애견호텔의 신뢰성에 심각한 타격을 줄 수 있으며, 경우에 따라 지급받은 호텔 요금을 환불해야 할 수도 있습니다.

이러한 문제를 예방하고 클레임을 최소화하기 위해 입실 및 퇴실 시 체크리스트 운영이 필수적입니다. 체크리스트는 강아지의 머리부터 발끝까지 각 부위별로 정확히 점검하고 기록함으로써 강아지의 상태를 체계적으로 파악하고 기록합니다. 입실 시에 각 항목을 점검하고, 퇴실 시에는 다시 한 번 같은 절차를 반복하여 견주가 직접 강아지의 상태를 확인할 수 있게 합니다.

퇴실 시에 견주로부터 서명을 받아 처리하는 것은 매우 중요합니다. 이는 퇴실 당시 강아지의 상태에 대한 견주의 확인 및 동의를 의미하며, 이후 발생할 수 있는 어떠한 문제도 퇴실 이후에 발생한 것으로 간주될 수 있습니다. 따라서 호텔에서 발생한 문제가 아니라고 명확히 할 수 있어, 후속 클레임에 효과적으로 대응할 수 있습니다.

이 같은 체크리스트 시스템을 통해 애견호텔은 각각의 손님에 대한 상세한 정보를 제공함으로써 브랜드 신뢰도를 높이고, 운영의 질을 개선하여 결국에는 브랜드 이미지를 강화할 수 있습니다. 이는 장기적으로 고객 만족도를 높이고 사업의 성장에 기여하는 요소가 됩니다.

클레임을 줄이는 위탁 동의서 예시

상호 : 00000 애견호텔유치원 | 대표자 : 홍길동
영업등록번호 : 3000000-000-2018-0000
주소 : 경기도 평택시 ****** | 전화번호 : 010 1234 5678

서비스의 종류
1. 유치원
2. 호텔링
3. 놀이방
4. 방문케어

아래 내용은 위탁 동물을 돌보는 이와 위탁 보내는 견주와의 상기견에 대한 위탁 관련 협의 계약 내용임

위탁 기간은 위 내용과 같이 정하며 위탁 보내는 견주의 요청에 따라 연장할 수 있다. 추가 작성 없이 본 계약서의 효력은 위탁 만료 시점까지로 본다.

사료 및 간식은 위탁받은 이가 급여하며, 다른 급여를 원할 시 그에 소요되는 경비 와 책임은 위탁 보낸 견주가 책임진다.

본 계약에서 정하지 않은 사항이나 해석상의 이의를 불러일으키는 사항에 대해서는 상호 간의 우호적인 협의로 해결한다.
★동의서를 반드시 읽어주세요. 미 동의시 이용이 불가합니다.

약관① 계약의 목적
이 계약은 위탁을 보내는 견주의 필요에 따라 위탁 애견을 위탁받는 이에게 돌봄을 요청하며 위탁을 보내는 견주와 위탁자 간의 본 계약 내용을 바탕으로 상호신뢰와 믿음으로 아래 각 사항을 준수한다.

약관② 위탁 비용
위탁 비용은 선지급이고 고시한 금액 (부가세 포함, 4kg이하 27.500원 / 4-7kg이하 33.000원)에 따라 결정되며 위탁 비용은 24시간 기준으로 하며, 그 이후 초과 시간은 놀이방 요금에 따라 추가 과금한다. (단 20시 이후에는 퇴실 불가) 3

일 이상 견주가 연락이 없거나 위탁 비용을 미 입금시 위탁 보내는 견주는 상기 견에 대한 소유권을 포기하며 위탁받는 이에게 상기 견의 모든 소유권을 인정, 최종 동물 보호시설로 이첩 함에 동의하는 것으로 한다.

위탁비용 결제가 완료되어야 퇴실이 가능합니다.
*방문케어 비용은 네이버지도 상의 가격표를 기준으로 한다.

약관③서비스 내용
우리집강아지는 24시간 상주하는 애견호텔이 아닙니다.
우리집강아지는 아이들에 안전을 위해 실내확인 불가 합니다.
*반려견 유기 인정 내용은 아래와 같습니다.
(견주님께서 설정한 퇴실 날짜가 완료 됐음에도, 7일간 어떠한 연락이 없을 시 '반려동물 유기'로 인정함에 동의합니다
또한 당사의 사유로 당사가 지정한 날에 반려견이 퇴실 하지 않을 시 어떠한 사유에도 '반려동물 유기'로 인정함에 동의합니다.)

약관④ 반려동물을 유기 할 경우에는 유기 시점 부터 사건 종결 시점까지 애견호텔 비용 (최대 300만원)을 위약벌로 당사에게 지급해야 하며 이는 당사의 손해배상청구권에 영향을 미치지 아니합니다.

위 내용에 동의 합니다.

질병발생 및 조치

[약관5]위탁 보낸 견주의 불고지로 인한 질병 및 위탁견으로 인한 사고는 위탁 보낸 견주가 책임진다.
[암컷에 경우 생리 시 *반드시 고지 해주셔야 합니다.] [암컷에 경우 생리 중과 임신 가능 기간에는 위탁할 수 없습니다.][위탁보낸 이가 고지 하지 않고 발생 된 임신에 대해서는 업체에 책임 물을 수 없습니다.]이에 동의 합니다.

[약관6]질병 보유견은 위탁 할 수 없으며, 미세한 피부병,호흡기 질환 보유견은 위탁 가능하나 추후 치료에 대한 책임과 경비는 위탁 보낸 견주가 부담한다. 이에 동의 합니다.

[약관7]본인의 반려견은 어떠한 전염병 증세를 나타내지 않으며,최근 2년 이내 광견병 예방접종을 완료하였습니다.접종이 안된 견은 위탁 할 수 없으나, 부득이 위탁을 원할 경우 접종으로 인한 모든 질병에 대해서는 위탁보낸이가 책임진다. 에 동의합니다.

[약관8]5차 예방접종과 동물병원에서 매년 권하는 예방접종은 각종 면역력 및 감염병 예방을 위한 필수 사항입니다. 미 접종 시 발생할 수 있는 심장 사상충 등의 기생충성 감염병 및 파보 장염, 각종 장염, 켄넬코프, 호흡기 감염질환, 기타 감염성 전염성 질환, 바이러스성 질환 등으로 발생되는 문제는 전적으로 보호자의 책임이며 우리집강아지 는 어떠한 책임도 지지 않습니다.
[반려견 위탁시 모든 강아지들은 감염,전염에 노출 될수 있음을 인정하고 위탁합니다.]
[감염병으로 인한 위탁비용 환불 요구는 할 수 없습니다.]
에 동의합니다.

[약관9]_위탁 받은이는 관리에 소홀함이 없어야 하며, 중요 질병,사고,낙상 발생시 선조치 후 위탁 견주에게 고지하며, 위탁 받는이의 과실,고의 ,미필적 고의 인한 사고는 위탁 받는 이가 책임지며, 호텔비 전액 환불조치 및 치료비를 지급한다
[1.단 치료는 위탁 받는이의 '지정 병원'에 치료한다.-치료 및 진료에 보호자 동행 가능 합니다.]
[2.우리집강아지 관련자가 직접 동물병원에 방문하여 치료 및 진료한다.]
[3.모든 치료는 목적을 검진이 아닌 치료에 두고 치료한다.]
(*위탁한 이가 우리집강아지에 사전 동의 없이 동물병원에 방문하여 검진 및 치료, 비용청구시 우리집강아지는 어떠한 이유에도 비용을 청구 할 수 없다.) 이에 동의합니다.

[약관10]위탁 보내는 견주는 위탁받는이에게 상기견에 대한 견종,나이,성별,견명,질병경력등 특이사항을 상기견의 특징에 대해 충분히 설명해야하며 누락시 발생하는 사고 및 질병에 대해 책임을 진다.

[약관11]위탁 중 발생하는 돌연사, 자연사는 업체에 민형사상 책임을 물을수 없음에 동의합니다.
[노견, 비만견, 분리불안이 있는 강아지 주의]

[약관12]입질 없음에 체크 하였음에도. 다른 강아지와 직원을 물어 상처 및 상해를 입힐 경우 입질을 한 강아지가 물린 강아지 견주 또는 직원에게 진료 비용 및 치료 비용을 보상함에 동의 합니다.(반려견의 진료 및 치료는 약관9에 따른다.)

(직원의 진료 및 치료는 의사 소견에 따른다)

포메, 소형견, 모든 견종 필수 확인
[약관13]본 매장은 슬개골탈구 예방을 위해 매트 시공이 되어 있으나 평소보다 많은 활동으로 인해 슬개골탈구, 다리 절음, 다리를 들고있는 행위 현상이 발생 할 수 있습니다.

[약관14]위탁 중 슬개골탈구, 다리 절음, 다리를 들고있는 행위가 발생할 수 있으며 이로 인한 위탁비용 환불 요구, 동물병원 치료비용 요구 및 민형사상 책임을 물을 수 없음에 동의합니다.

[약관15]위탁 이용 후 반려견은 여독증상(구토,발열,무기력함, 식욕저하,기운없음,설사,변비)을 보일 수 있습니다.
[*여독_여행으로 말미암아 생긴 피로나 병] 7일간 충분한 휴식을 취해주셔야 합니다. 위 증상에 경우 병원비용을 청구할 수 없습니다. 이에 동의합니다.

[약관16]평소 활동량이 적거나 관절이 약한 친구들은 분리불안 행동 또는 활동량이 많아 짐에 따라 위탁 이후 다리 절음 등의 증상이 보일수 있으며, 이는 일상생활을 하다 발생할 수 있는 상황으로 이에 대한 병원비, 치료비 또는 진료비용을 청구할수 없음에 동의합니다.

[약관17] cctv는 개인정보보호로 인해 전송 불가합니다.

[약관 18] 분리불안(지속적인 점프 행동, 하울링, 심한 짖음, 호텔 내부 물건을 뜯는 행위,심하게 긁는 행위)이 있는 강아

지는 퇴실이 원칙이나, 견주의 피치 못한 사정으로 위탁한 경우 분리불안으로 인해 생긴 상처,상해 문제에 대해 책임을 물을 수 없음에 동의 합니다.

[약관19] 입실 후 분리분안으로 퇴실 시 견주가 직접 데리고 퇴실하여야 한다.위탁한 견주는 본 사업장에 강아지를 다른 업소로 이동 요청 할수 없습니다.

[약관19] [환불규정] 횟수권 결제 이후 중도 해지 시 이용한 횟수를 1회 기본요금으로 정산 후 환불한다.
(기본요금은 이용하는 반려견의 유치원,호텔 해당 키로수 1회 요금으로 한다.)
*카드 취소 시 견주님께서 결제 한 카드로 매장에 직접 방문 취소 후 재결제 한다.
*현금결제시 정산 후 동일 계좌로 입금한다.

위 내용에 동의 합니다.

애견호텔 및 유치원의 실시간 CCTV 제공에 대한 고찰

애견호텔과 유치원에서 실시간 CCTV 제공은 서비스 품질에 부정적인 영향을 줄 수 있다고 생각합니다. 실시간 CCTV가 설치되어 있다면, 견주는 자신의 반려동물이 어떤 상황에 있는지 언제든지 확인할 수 있습니다. 하지만 이는 예상치 못한 문제를 야기할 수 있습니다.

예를 들어, 견주가 실시간으로 자신의 강아지가 배변을 하는 모습을 보았을 때, 만약 그 후 몇 분이 지나도 해당 배변이 즉시 처리되지 않는다면, 이는 애견호텔의 관리가 부실하다는 인상을 줄 수 있습니다. 이는 불필요한 오해와 불만을 촉발시킬 수 있으며, 결국 브랜드 이미지에 해를 끼칠 수 있습니다.

따라서, 애견호텔이나 유치원에서 CCTV를 설치하고자 한다면, 모든 공간에 대해 공개하는 것보다는 관리가 가능한 특정 영역만을 실시간으로 공개하는 것이 바람직합니다. 예를 들어, 견들이 자유롭게 뛰어놀 수 있는 잔디밭 같은 장소에서의 활동만을 중계하는 것이 좋습니다. 이 방식은 견주가 자신의 반려동물이 즐겁게 놀고 있는 모습을 확인할 수 있게 하면서도, 관리의 미흡으로 인한 부정적인 인식을 최소화할 수 있습니다.

탈수에 매우 약한 견종

리트리버는 더위에 매우 약한 견종으로 알려져 있습니다. 이 견종은 작은 온도 변화에도 심한 탈수 증상을 보일 수 있으며, 고온에서는 생명에 위협을 받을 수도 있습니다. 이러한 특성 때문에 리트리버를 키울 때는 온도 관리가 매우 중요합니다.

적절한 온도 관리를 위해서는 실내 환경을 시원하게 유지하는 것이 필수적입니다. 에어컨, 선풍기 등을 활용하여 쾌적한 온도를 유지해

주고, 직사광선이 들어오지 않는 시원한 장소를 제공해야 합니다. 또한, 리트리버에게 충분한 수분 공급이 이루어져야 합니다. 신선하고 깨끗한 물을 항상 접근 가능한 곳에 두고, 물그릇이 비어있지 않도록 자주 확인하고 보충해 주세요.

이러한 조치를 통해 리트리버가 더위로 인해 겪을 수 있는 건강 문제를 예방하고, 무더운 여름철에도 건강하게 지낼 수 있도록 도와줄 수 있습니다.

애견호텔 이용 시 주의해야 할 견종과 강아지의 상태

애견호텔을 이용할 때 특별한 주의가 필요한 견종과 상태가 있습니다. 특히 장시간 차를 타고 온 강아지, 비만견, 그리고 심장병을 앓고 있는 강아지는 각별한 관리가 요구됩니다.

1. 장시간 차를 타고 온 강아지: 장시간 이동은 강아지에게 지속적인 스트레스를 유발할 수 있습니다. 이로 인해 강아지가 호텔에 도착했을 때 이미 스트레스로 인해 건강 상태가 악화되어 있을 수 있습니다. 이 경우, 호텔에 도착하자마자 강아지의 건강 상태를 체크하고 필요한 조치를 취하는 것이 중요합니다.
2. 비만견: 비만 상태의 강아지는 호텔에서의 활동이나 스트레스에 취약할 수 있습니다. 비만은 다양한 건강 문제를 유발할 뿐만 아니라, 강아지가 스트레스를 받았을 때 급사할 가능성을 높일

수 있습니다. 따라서 비만견을 받는 경우, 특별한 건강 관리와 주의가 필요합니다.

3. 심장병을 앓고 있는 강아지: 심장병이 있는 강아지는 특별한 주의가 필요합니다. 이런 강아지는 일상적인 활동에서도 심장에 부담을 줄 수 있는 상황을 피해야 하며, 정기적으로 약물을 복용해야 하는 경우가 많습니다. 호텔 직원은 심장병을 앓고 있는 강아지의 약 복용 스케줄과 특별한 케어 요구 사항을 정확히 숙지하고 준수해야 합니다.

이런 이유로, 장시간 차를 타고 온 강아지, 비만견, 그리고 심장병을 앓고 있는 강아지를 애견호텔에 받는 경우, 계약서에 이에 대한 특약을 명시하여 예상치 못한 상황에 대비하는 것이 좋습니다. 이 특약은 강아지의 건강 상태와 관련된 책임소재를 명확하게 하며, 호텔 운영자와 견주 양측이 이해하고 동의해야 합니다.

애견호텔의 적정 환경 유지

애견호텔에서 적절한 실내 온도와 습도 유지는 반려견의 건강과 안전을 위해 매우 중요합니다. 관리 중인 애견호텔은 다음과 같은 환경 기준을 준수하여 운영되고 있습니다:

1. 실내 온도: 호텔 내부의 온도는 21~23도를 유지합니다. 이는 강아지들이 호텔에서 흥분하거나 활동적일 때 체온이 자연스럽게 상승할 수 있기 때문입니다. 집에서 유지하는 온도보다 약간

낮게 설정하여, 강아지들이 흥분하거나 활동하는 동안 체온이 과도하게 상승하는 것을 예방합니다.

2. 실내 습도: 습도는 50~60% 범위를 유지합니다. 너무 건조하거나 습한 환경은 강아지들에게 피부 문제를 유발할 수 있으므로, 적절한 습도를 유지하는 것이 중요합니다. 건조한 실내 공기는 피부 가려움증을 유발할 수 있기 때문에, 이를 방지하기 위해 적정 습도 유지에 주의를 기울입니다.

위의 기준은 강아지들이 안전하고 건강하게 시간을 보낼 수 있도록 고안되었습니다. 실내 온도가 너무 높거나 낮은 경우 강아지들의 건강에 부정적인 영향을 미칠 수 있으므로, 특히 애견호텔 환경에서는 온도와 습도 조절이 매우 중요합니다. 이 조건들은 반려견의 웰빙을 지원하고, 애견호텔의 서비스 품질을 보장하는 데 기여합니다.

애견호텔 인테리어 노하우: 효율과 안전성 중심

애견호텔 인테리어 설계 시 고려해야 할 핵심 요소는 다음과 같습니다

1. 내구성과 청결 유지: 애견호텔 인테리어에 나무 같은 흡수성 재료를 사용하는 것은 피해야 합니다. 나무는 오줌을 흡수해 냄새가 배고 부식이 진행될 수 있습니다. 대신 방수 기능이 있고 오줌에 강한 내구성을 지닌 마감재를 사용하는 것이 적합합니다. 이는 청결 유지와 장기적으로 냄새와 부식 문제를 방지합니다.

2. 환기 시스템: 강아지들의 배변 활동으로 인해 발생할 수 있는 냄새를 효과적으로 관리하기 위해 적절한 환기 시스템이 필수적입니다. 특히 지하에 위치한 애견호텔의 경우, 환기에 더욱 주의를 기울여야 합니다. 공기가 잘 순환하는 환경을 만들어 지속적으로 쾌적한 공기를 유지할 수 있도록 해야 합니다.
3. 방음 설계: 도심 지역의 애견호텔은 주변 주민들로부터의 소음 민원을 고려하여 방음에 특별한 주의가 필요합니다. 또한 애견호텔 내부에서도 견주들이 방문했을 때 견들의 짖음으로 인한 불쾌감을 예방하기 위해 접견 공간과 격리 공간을 분리하는 것이 바람직합니다.
4. 안전한 구조: 애견호텔의 구조는 강아지의 안전을 최우선으로 고려해야 합니다. 낯선 환경에서의 돌발 행동을 고려하여, 높은 구조물은 설치하지 않는 것이 좋습니다. 높은 곳에서의 추락은 심각한 부상을 초래할 수 있으므로, 모든 구조물은 강아지가 안전하게 이용할 수 있는 높이로 설계해야 합니다.

이러한 인테리어 노하우를 통해 애견호텔은 높은 서비스 품질을 유지하고 견주들로부터 신뢰를 얻을 수 있습니다. 청결, 환기, 방음, 그리고 안전은 애견호텔 운영에서 가장 중요한 요소로, 이를 충족시키는 인테리어는 성공적인 사업 운영의 기반을 마련합니다.

안전한 울타리 설계 노하우

애견호텔이나 애견 놀이터에서는 울타리 설계가 중요합니다. 특히 점프력이 뛰어난 견종을 고려할 때 울타리의 높이와 구조가 강아지의 안전을 확보하는 데 결정적인 역할을 합니다.

1. 울타리 높이: 중형견과 소형견을 고려한 표준 울타리 높이는 최소 1.4미터여야 합니다. 이 높이는 대부분의 강아지들이 넘지 못하게 충분합니다. 점프력이 뛰어난 견종, 예를 들어 푸들이나 스피츠의 경우, 1미터 높이의 울타리는 쉽게 넘을 수 있기 때문에 이보다 더 높은 설계를 고려해야 할 수도 있습니다.
2. 울타리 구조: 울타리의 상단을 안쪽으로 꺾는 설계는 강아지가 울타리를 넘으려 할 때 추가적인 어려움을 제공합니다. 이 구조는 강아지가 울타리를 넘기 위해 사용할 수 있는 힘의 방향을 제한하여 더 안전한 환경을 조성합니다.

이러한 울타리 설계는 애견호텔에서 견주가 없는 동안에도 강아지들이 안전하게 보호받을 수 있도록 돕습니다. 울타리 설계를 통해 높은 안전성을 보장하는 것은 애견호텔 운영의 중요한 측면 중 하나로, 견주들에게 신뢰와 만족감을 제공합니다.

애견유치원 노하우

애견유치원 입학에 문턱을 만들어라

애견유치원 입학 과정에 일정 기준의 테스트를 도입하면, 유치원의 품질과 명성을 유지하고 향상시킬 수 있습니다. 사람의 유치원처럼 선별적인 입학 절차는 유치원을 더욱 동경하는 곳으로 만들 수 있습니다. 필자의 경험에 따르면, 초기에는 모든 강아지를 무분별하게 받았으나, 테스트를 도입한 이후로는 매장을 평가하려는 방문 요청이 줄어들었습니다.

테스트 시 고려할 사항은 다음과 같습니다:

1. **사회성 평가:** 강아지가 다른 강아지나 사람들과 어울리는지, 사회적 상호작용을 어떻게 하는지 평가합니다.
2. **입질 여부:** 강아지가 입질을 하지 않고, 공격적인 행동을 보이지 않는지 확인합니다.
3. **짖음 정도:** 지나치게 많이 짖거나 심각한 짖음을 보이는 강아지는 다른 강아지들에게 스트레스를 줄 수 있으므로 이를 검토합니다.
4. **교육 가능성:** 강사의 지도 아래에서 행동을 개선할 수 있는지 확인합니다. 일부 강아지는 적절한 지도를 통해 크게 변화할 수 있지만, 그렇지 않은 경우 유치원 환경에 적합하지 않을 수 있습니다.

이러한 테스트를 통과한 강아지만을 선별적으로 받음으로써 애견유치원은 질 높은 교육 환경을 제공하고, 매장 평가를 위한 불필요한 방문 요청을 줄일 수 있습니다. 이 방식은 유치원의 전문성을 높이고, 강아지와 견주 모두에게 만족도를 제공할 수 있는 방법입니다.

실현 가능한 애견유치원 프로그램 설정 노하우

애견유치원에서 다양하고 풍부한 프로그램을 제공하는 것은 매력적일 수 있지만, 실제로 일일 프로그램을 철저히 시간대별로 지키는 것은 매우 도전적인 일입니다. 일부 유치원은 매시간마다 다양한 수업을 계획하여 활발하게 운영되는 것처럼 보일 수 있지만, 이러한 타이트한 스케줄은 직원에게 과도한 스트레스를 줄 수 있고, 실제 운영에서는 유연성이 결여되어 있습니다.

애견유치원에서 프로그램을 설정할 때는 다음과 같은 점을 고려하는 것이 좋습니다:

1. 유연성: 프로그램은 강아지들의 일상적인 욕구와 건강을 고려하여 유연하게 조정될 수 있어야 합니다. 강아지의 에너지 수준과 날씨, 기타 외부 요인에 따라 활동을 조정할 수 있어야 합니다.
2. 실현 가능성: 모든 계획된 활동은 실제로 진행할 수 있을 정도로 실현 가능해야 합니다. 직원들이 프로그램을 수행할 수 있을 만큼 현실적이고, 강아지들의 건강과 안전을 최우선으로 고려해

야 합니다.

3. 품질 대 양: 수많은 활동보다는 질 높은 몇 가지 활동에 집중하는 것이 더 효과적일 수 있습니다. 질 좋은 상호작용과 케어를 제공하여 강아지들의 만족도와 웰빙을 높이는 것이 중요합니다.
4. 스트레스 최소화: 프로그램은 직원과 강아지 모두에게 적당한 스트레스 수준을 유지하도록 설계되어야 합니다. 직원이 과도한 스트레스를 받지 않고, 강아지들도 활동 중에 편안하고 즐거울 수 있어야 합니다.

이러한 점들을 고려하여 애견유치원의 프로그램을 설계하면, 실질적으로 운영 가능하고, 강아지와 견주 모두에게 만족스러운 결과를 제공할 수 있을 것입니다.

애견유치원의 가치 제고: 비소비재에서 필수재로의 전환

애견유치원을 이용하는 것은 선택적인 비소비재로 간주되기 쉽습니다. 이러한 인식을 바꾸고 애견유치원을 필수적인 서비스로 전환하기 위해서는 유치원이 제공하는 독특한 가치와 혜택을 강조하는 전략이 필요합니다. 성공적인 애견유치원 운영을 위해서는 다음과 같은 접근 방법을 고려할 수 있습니다:

1. 특별한 회원 혜택: 애견유치원 이용 고객에게 미용, 용품, 훈련 서비스 등에서의 독점적 할인이나 프로모션을 제공함으로써, 서비스의 필수성을 강화합니다. 이러한 혜택은 고객이 유치원 서

비스를 정기적으로 이용하도록 유도할 수 있습니다.
2. 통합 서비스 제공: 애견유치원을 단순히 보육 공간으로 제한하지 않고, 건강 관리, 행동 교정, 사회화 훈련 등 포괄적인 애견 관리 서비스를 제공하여 애견주의 다양한 필요를 충족시킵니다.
3. 차별화된 프로그램 개발: 특정 테마나 시즌에 맞춘 특별 프로그램을 개발하여 일상에서 경험할 수 없는 특별한 활동을 제공함으로써, 애견유치원을 특별하고 필수적인 경험으로 자리매김하게 합니다.
4. 고객 참여 증진: 고객이 애견유치원의 일상에 적극적으로 참여할 수 있는 기회를 제공함으로써, 고객과의 연결을 강화하고 서비스의 가치를 높입니다. 예를 들어, 워크숍, 교육 세션 또는 특별 이벤트에 고객을 초대합니다.
5. 강화된 커뮤니케이션: 정기적인 업데이트, 사진, 비디오를 통해 애견의 일상과 진행 중인 활동을 공유하여, 애견주가 자신의 반려동물이 경험하는 가치를 실시간으로 확인할 수 있게 합니다.

이러한 전략들은 애견유치원을 단순한 선택에서 벗어나 반려동물과 그 주인에게 꼭 필요한 서비스로 인식되게 하는 데 중요한 역할을 할 수 있습니다.

애견유치원 프로그램 종류

애견유치원에서 제공하는 프로그램은 다양한 필요와 기대를 충족시키기 위해 디자인되었습니다. 각 프로그램은 반려견의 신체적, 정서적, 인지적 발달을 지원하며, 아래와 같이 구성됩니다

놀이시간:

- 활동적인 놀이를 통해 운동을 겸하고, 다른 반려견들과의 상호작용으로 사회성을 키울 수 있는 시간입니다. 이는 반려견들에게 즐거움을 제공하며, 에너지를 발산하게 합니다.

오감만족:

- 다양한 감각을 활용하여 반려견의 스트레스를 낮추고, 전반적인 행복감을 증진시키는 활동입니다. 냄새 맡기, 다양한 질감 탐색 등이 포함됩니다.

산책시간:

- 산책을 통해 다양한 환경 자극을 경험하면서 스트레스를 해소하고 에너지를 관리하는 시간입니다. 잔디밭, 숲길 등 다양한 경로를 통해 신체 활동을 증진시킵니다.

인지풍부화:

- 장애물 극복, 문제 해결 등을 통해 반려견의 두뇌를 자극하고 인지 능력을 강화하는 시간입니다. 이 활동은 반려견의 두뇌 발달을 촉진하고 더욱 똑똑한 반려동물로 성장하게 돕습니다.

인내심 훈련:

- 명령에 따라 '앉아', '기다려' 등을 수행하며 인내심과 절제력을 키울 수 있는 훈련입니다. 이는 일상생활에서 반려견의 행동 관리를 용이하게 합니다.

사회화 교육:

- 사람, 다른 반려견, 그리고 환경과의 긍정적인 상호작용을 통해 사회화 기술을 개발하는 시간입니다. 이는 반려견이 다양한 사회적 상황에서도 안정감을 유지하도록 돕습니다.

이 프로그램들은 반려견이 건강하고 균형 잡힌 삶을 영위할 수 있도록 설계되었으며, 각각의 활동은 반려견의 전반적인 복지 향상에 기여합니다.

애견유치원의 핵심 요소: 인간 관계의 중요성 강조

애견유치원의 성공은 강아지와 사람의 상호작용뿐만 아니라, 사람과 사람 간의 관계 구축에 크게 의존합니다. 이는 유치원이 단지 강아지들의 행동 개선과 교육에 초점을 맞추는 것이 아니라, 반려견의 주인과의 신뢰와 관계를 강화하는 데에도 중점을 둔다는 것을 의미합니다.

- **감정적 연결 강화:** 사람과 강아지가 함께 있는 모습을 적극적으로 공유함으로써, 유치원은 강아지와 그들의 주인 간의 감정적 연결을 강화할 수 있습니다. 이는 반려견과 주인 사이의 관계를 깊게 하며, 유치원에 대한 긍정적인 인상을 남깁니다.
- **소통의 투명성:** 유치원 운영자가 반려견의 주인들과의 소통에 있어서 투명하고 진실된 정보를 제공함으로써, 신뢰를 쌓고 장기적인 관계를 유지하는 데 기여합니다.

이러한 접근은 유치원이 단순히 서비스 제공자로서가 아닌, 고객과 그들의 반려동물의 생활에 긍정적인 영향을 미치는 파트너로 인식되도록 합니다.

브리더 노하우

브리더의 기본: 견체학 공부의 중요성

브리더로서 우수한 강아지를 분양하고 싶다면, 견체학에 대한 이해가 필수적입니다. 견체학은 강아지의 구조와 생리학적 특성을 포괄하는 학문으로, 강아지의 품질과 건강을 정확히 평가하는 데 기준점을 제공합니다.

- **견체학의 이해:** 좋은 강아지를 선별하고 건강한 품종을 육성하는 데 필요한 견체학을 학습하세요. 이 지식은 강아지의 구조적 결함이나 잠재적인 건강 문제를 조기에 식별할 수 있게 도와줍니다.
- **학습 자원:** 견체학은 온라인 코스, 워크샵, 브리더 교육 프로그램을 통해 학습할 수 있습니다. 전문적인 지식을 쌓는 것은 브리더로서의 깊이를 더하고, 분양하는 강아지의 품질을 보장하는 데 큰 도움이 됩니다.

견체학에 대한 체계적인 공부는 브리더가 품종의 표준을 유지하고 개선할 수 있는 능력을 키워, 시장에서의 경쟁력을 강화하고 고객의 신뢰를 확보하는 데 기여합니다.

브리더의 방향성 설정

브리더로서 성공하기 위해서는 명확한 방향성이 필수적입니다. 많은 브리더들이 단순히 개를 번식시키기 시작하다가 무계획적으로 확장하여 결과적으로 관리가 힘들어지는 상황에 빠지기 쉽습니다. 이러한 상황을 방지하고 일류 브리더로 인정받기 위해 다음과 같은 전략을 수립해야 합니다:

1. 견종 선택과 전문화: 성공적인 브리더는 특정 견종에 집중합니다. 선택한 견종에 대한 깊은 이해와 전문성을 기르세요. 이는 혈통, 건강, 견체의 특성을 포함한 종합적인 지식을 필요로 합니다.
2. 혈통 관리: 혈통서는 강아지의 '보증서'로 여겨집니다. 철저한 혈통 관리는 품종의 순수성을 유지하고 유전적 질병을 관리하는 데 중요합니다. 각각의 강아지에 대한 정확한 혈통 정보를 기록하고 유지하는 것이 중요합니다.
3. 투명한 정보 제공: 부견과 모견에 대한 정보는 투명하게 제공해야 합니다. 이들의 사진과 건강 정보를 잘 관리하여 필요시 분양받는 견주에게 제공할 수 있도록 하세요. 이는 신뢰를 구축하고 분양 과정의 투명성을 높이는 데 도움이 됩니다.

브리더로서의 방향성을 명확히 설정하고, 각 단계에서 전문성과 책임감을 가지고 접근한다면, 높은 품질의 강아지를 분양하고 장기적으로 신뢰받는 브리더로 성장할 수 있습니다.

브리더 노하우: 브랜딩의 중요성 강조

브리더로서 성공을 거두려면 강아지의 품질뿐만 아니라 브랜드 이미지 구축에도 투자해야 합니다. 효과적인 브랜딩은 강아지 분양에 있어서 높은 부가가치를 창출할 수 있으며, 이는 브리더가 제공하는 강아지의 가치를 더욱 돋보이게 만듭니다.

- **로고와 네이밍:** 켄넬의 로고와 이름은 브리더의 전문성과 신뢰도를 반영해야 합니다. 매력적이고 기억에 남는 로고와 이름은 고객들에게 긍정적인 첫인상을 제공하며, 시장에서 브리더의 고유한 정체성을 구축하는 데 중요한 역할을 합니다.
- **부가가치 창출:** 강력한 브랜드는 강아지의 가격을 높일 수 있는 기회를 제공합니다. 예를 들어, 일반적으로 100만 원에 분양되는 강아지도, 잘 구축된 브랜드 아래에서는 300만 원에서 500만 원 사이로 가치가 상승할 수 있습니다. 이는 브랜드가 갖는 감정적 가치와 시장 인식에 기인합니다.

효과적인 브랜딩 전략은 브리더의 장기적 성공을 위한 필수적인 요소로, 고객의 충성도를 높이고 시장에서 지속 가능한 경쟁력을 확보하는 데 기여합니다.

브리더의 발전을 위한 도그쇼 활용법

브리더로서 전문성을 키우기 위해 도그쇼 참여는 매우 유익합니다. 도그쇼는 브리딩에 관한 다양한 정보, 최신 트렌드, 그리고 중

요한 인맥을 제공하는 장입니다. 도그쇼 참가 시 활용할 수 있는 몇 가지 팁은 다음과 같습니다:

1. 도그쇼 책자 활용: 대부분의 도그쇼에서는 참가하는 강아지들의 상세 정보를 담은 책자를 제공합니다. 이 책자에는 강아지의 부견 및 모견에 대한 정보와 함께, 그들의 혈통과 성과가 기록되어 있습니다. 이 정보를 통해 각 견종의 브리딩 방법과 우수한 혈통을 연구할 수 있습니다.
2. 네트워킹: 도그쇼는 경험 많은 브리더들과 만날 수 있는 최적의 장소입니다. 이들과의 대화를 통해 직접적인 조언과 지식을 얻을 수 있으며, 장기적인 전문 네트워크를 구축할 기회가 될 수 있습니다.
3. 혈통 정보 접근: 도그쇼에서 얻은 정보를 바탕으로, 추가적인 혈통 연구를 위해 Pedigree Database 같은 사이트를 활용할 수 있습니다. 이 사이트에서는 전 세계 다양한 견종의 혈통을 검색하고 연구할 수 있어, 자신의 브리딩 전략을 수립하는 데 큰 도움이 됩니다.

도그쇼 참여는 단순히 견종의 미적 기준을 확인하는 것을 넘어서, 브리딩 전략을 세우고, 유전적 건강을 유지하기 위한 중요한 정보를 얻을 수 있는 기회입니다. 따라서 브리더로서 자신의 역량을 키우려면 도그쇼 참여를 적극적으로 고려해야 합니다.

우수 종모견 수입 노하우

브리더로서 성공하고 싶다면 우수한 종모견을 확보하는 것이 필수입니다. 해외에서 우수한 종모견을 수입하는 것이 특히 유리할 수 있습니다. 하지만 유명 견사에서 우수한 종모견을 얻기 위해서는 특정한 접근 방법과 전략이 필요합니다.

1. 처음 접촉의 중요성: 유명 견사와의 첫 접촉은 매우 중요합니다. 강아지를 단순히 분양 받는 고객의 입장에서 접근하면, 견사는 당신을 평생 고객으로만 여길 수 있습니다. 반면, 해당 견사의 종모견에 대해 깊이 있게 연구하고, 해당 견사의 우수한 종모견에 대한 지식을 갖춘 후 접근하면, 브리더로서 동등한 관계에서의 대화가 가능합니다.
2. 전문성을 보여라: 견사의 기존 고객이 되어 그들의 혈통을 직접 경험하고 이를 바탕으로 견사에 접근하는 것이 좋습니다. 이는 당신이 단순한 구매자가 아니라 해당 견종의 발전에 기여할 수 있는 전문 브리더임을 보여줍니다.
3. 장기적 관계 형성: 우수한 종모견을 얻기 위해서는 견사와 장기적인 관계를 구축하는 것이 중요합니다. 서둘러 거래를 시도하기보다는, 지속적인 교류를 통해 신뢰를 쌓아가며 기회를 기다려야 합니다. 견사가 분양해야 하는 시기가 다가올 때, 이전에 구축한 신뢰를 바탕으로 좋은 조건의 분양을 받을 수 있습니다.
4. 비즈니스 관계 유지: 브리더와 견사 간의 비즈니스 관계는 동등한 파트너십을 기반으로 해야 합니다. 무엇보다 서로에 대한 존

중과 이해를 바탕으로 한 관계를 유지하는 것이 중요합니다.

이러한 전략을 통해 브리더는 우수한 종모견을 보다 효과적으로 수입하고, 자신의 브리딩 프로그램을 강화할 수 있습니다. 이는 궁극적으로 브리더의 브랜드 가치를 높이고, 시장에서의 경쟁력을 강화하는 데 크게 기여할 것입니다.

강아지 수출 절차

강아지를 해외로 수출할 때는 몇 가지 중요한 절차와 준비가 필요합니다. 이 과정은 다음과 같습니다:

1. 접종과 검역:

- 강아지는 최소 3개월령에 광견병 접종을 받아야 합니다.
- 접종 후 최소 1개월 이상 경과한 후, 즉 4개월령에 검역을 완료해야 합니다.
- 검역 절차는 강아지의 건강 상태를 확인하고 수출 국가의 검역 요건을 충족시키는 것을 목표로 합니다.

2.해외 브로커 활용:

- 대부분의 수출은 해외 브로커 또는 중개인을 통해 이루어집니다. 이들은 수출 절차를 원활하게 진행하고, 현지 규정을 준수하는 데 필요한 지식과 경험을 제공합니다.

3.검역 기준:

- 수출하고자 하는 나라마다 검역 요건이 다릅니다. 따라서 수출 전 해당 국가의 검역 기준을 확인하는 것이 중요합니다.
- 일반적으로 유럽은 검역 요건이 매우 엄격하며, 미국은 상대적으로 수월한 편입니다. 캐나다는 최근 검역 요건이 까다로워졌으며, 섬나라들은 특히 검역이 매우 까다롭습니다.

4.검역 서류 준비:

- 검역에 필요한 서류는 대부분의 동물 병원에서 준비가 가능합니다. 하지만 일부 병원은 해당 절차에 익숙하지 않을 수 있으므로, 검역 서류 작성이 가능한 병원을 미리 확인하고 방문하는 것이 좋습니다.

이러한 절차를 따라 강아지 수출을 준비하면, 국제 법규를 준수하고 강아지의 안전을 보장할 수 있습니다. 각 국가의 검역 요건을 사전에 잘 파악하고 준비하는 것이 수출 과정에서 발생할 수 있는 문제를 최소화하는 키가 됩니다.

애견미용실 노하우

애견미용실 필수 집기 및 설비 목록 및 고객 관리 방법

필수 집기 및 설비:

1. 에어컨: 적절한 실내 온도 유지를 위해 필수.
2. 닥트: 공기 순환과 환기를 돕는 중요한 설비.
3. 미용테이블/안전바: 미용 중 안전하게 동물을 고정하기 위함.
4. 드라이기: 목욕 후 털을 말리는데 필요.
5. 에어탱크: 공기를 공급하여 드라이어 등의 기능을 강화.
6. 소독기: 도구 및 장비를 깨끗하게 소독하는 데 사용.
7. 욕조: 목욕을 위한 기본 설비.
8. 냉온수기: 적절한 온도의 물을 제공.
9. 청소기: 청결을 유지하기 위해 필수.
10. 샴푸 및 린스: 털과 피부를 관리하는 데 사용.
11. 쓰레기통: 위생 관리를 위해 필요.
12. 의자: 대기 중인 고객 또는 작업자용.

고객 관리 및 특이사항 기록:

- 첫 방문 시 반려견의 특이사항을 상세히 기록하여 두 번째 방문 때 참조합니다. 이는 견주와의 신뢰를 구축하고, 개별 반려견에 맞는 서비스를 제공하는 데 중요합니다.
- 견주의 특이사항을 기록할 때는 핸드폰 연락처 메모장을 활용하

는 것이 효과적입니다. 이를 통해 각 고객의 요구사항을 정확히 파악하고, 필요한 서비스를 제공할 수 있습니다.

- 고객이 반려견의 건강 상태나 기타 특이사항을 언급했을 때, 이를 적극적으로 반영하고 두 번째 방문에서 이에 대해 물어보면, 고객 만족도를 높이고 재방문을 유도할 수 있습니다.

애견미용실 운영에서 고객 관리 및 적절한 설비 유지는 탁월한 서비스 제공과 직결되므로 이 두 요소에 주의를 기울이는 것이 성공적인 창업을 위한 핵심입니다.

미용 후 피드백 제공

미용이 완료된 후, 견주와의 효과적인 커뮤니케이션은 매우 중요합니다. 미용 과정에서 관찰된 반려견의 행동과 건강 상태에 대한 피드백을 제공하여, 견주가 반려견의 상태를 이해하고 필요한 조치를 취할 수 있도록 지원합니다.

피드백 전략:

1. 사전 예고: 미용 서비스를 제공하기 전에, 피드백이 제공될 것임을 견주에게 안내합니다. 이는 견주가 미용 결과에 대한 기대를 설정할 수 있게 도와줍니다.
2. 상세한 리포트: 미용 후에는 반려견의 건강 상태, 행동, 미용 중 발생한 모든 이슈에 대해 상세한 리포트를 제공합니다. 이 리포트는 반려견의 반응, 피부 상태, 발견된 건강 문제 등을 포함할 수 있습니다.

3. 사진 자료 포함: 가능한 경우, 미용 전후의 반려견 사진을 포함하여 변화를 명확히 보여주는 것이 좋습니다. 이는 견주가 시각적으로 반려견의 상태를 확인할 수 있게 해줍니다.
4. 개선 사항 제안: 향후 더 나은 미용 경험을 위해 견주가 취할 수 있는 조치나, 반려견의 건강을 개선하기 위한 권장 사항을 제공합니다.
5. 지속적인 커뮤니케이션 유도: 피드백을 통해 견주와 지속적인 관계를 유지하고, 정기적인 미용 예약이나 건강 점검을 권장함으로써 반려견의 건강과 복지를 지속적으로 관리할 수 있도록 합니다.

이와 같은 방식으로 사후 피드백을 제공함으로써, 애견미용실은 견주의 만족도를 높이고, 장기적인 고객 관계를 구축할 수 있습니다.

미용사 면접 노하우

미용사를 선발할 때 고려해야 할 주요 요소들을 이해하는 것은 중요합니다. 아래의 요소들을 면접 시 체크리스트로 활용할 수 있습니다.

면접 체크리스트:

기술적 능력:

- **전체미용, 얼빡, 스포팅, 전체가위 시간:** 미용사의 효율성과 전문성을 평가하기 위해 각 미용 유형에 소요되는 시간을 확인합니다.

- **경력:** 미용사의 근무 기간과 이전에 근무했던 장소를 통해 경험의 깊이를 평가합니다.

근무 조건 및 가능성:

- **근무 시작 가능일:** 언제부터 근무가 가능한지 확인하여 채용 계획에 맞출 수 있습니다.
- **희망 근무 요일과 시간:** 미용사의 희망하는 근무 패턴을 파악하고, 이것이 업장의 운영 시간과 일치하는지 검토합니다.
- **하루 가능한 처리 마리수:** 작업 능률을 측정하고, 업장의 수요에 부응할 수 있는지 확인합니다.

실제 미용 능력 평가:

- **경력 미용사 기준:** 올빡 1시간 이내, 얼빡 2시간 이내, 스포팅/가위컷 2~2.5시간 이내를 기준으로 평가합니다.

이 체크리스트를 통해 미용사를 선발하는 과정에서 객관적이고 체계적인 평가가 가능해질 것입니다

애견미용사 정보 습득 및 구인 방법

애견미용사를 찾고, 정보를 습득하려면 여러 자원을 활용할 수 있으며, 가장 활발하게 활용되는 플랫폼 중 하나는 네이버 카페입니

다. 특히 '애견미용사날다' 카페는 애견미용사와 관련된 정보 교환 및 구인 공고에 많이 사용됩니다.

구인 조건 설정:

- 프리랜서 계약: 실장급 미용사는 보통 프리랜서 계약을 선호하며, 이 경우 수익은 퍼센테이지로 나뉘게 됩니다.
- 수익 분배:
- 초보 미용사: 보통 6:4 비율로 수익을 나눕니다.
- 중급 미용사: 7:3 비율로 보다 높은 수익을 받습니다.
- 실장급 미용사: 8:2 또는 9:1 비율로 가장 높은 수익을 받으며, 이는 경험과 기술에 따라 다릅니다.
- 기본급 제공: 일부 업체는 기본급을 보장하며, 이는 미용사의 안정적인 수입을 지원합니다.
- 견습 미용사: 견습 중인 미용사는 시급으로 급여를 계산하는 경우가 많습니다.

이 정보를 바탕으로 애견미용실이 미용사를 구인할 때 어떤 조건을 제시해야 할지 결정할 수 있으며, 이는 미용사의 경력과 기대에 따라 조정될 수 있습니다. 각각의 조건은 미용사의 기술 수준과 경험을 반영하여 공정하고 매력적인 구인 조건을 설정하는 데 중요한 기준이 됩니다.

제 5 화 확장 성장 전략

협력 네트워크 구축

다양한 반려동물 관련 업체와의 협력 네트워크는 고객 유입과 신뢰도 증대에 중요한 역할을 합니다. 반려동물 용품점, 동물병원, 트레이닝 센터와 같은 관련 업체와의 제휴는 고객이 반려동물 서비스를 쉽게 이용할 수 있는 환경을 조성하는 동시에, 업체 간의 상호 마케팅을 통해 신뢰를 쌓을 수 있습니다.

협력 업체 선정과 제휴 방식:

협력 업체를 선정할 때는, 지점과 가깝고 신뢰할 수 있는 업체를 우선적으로 고려해야 합니다. 특히 반려동물 용품점이나 동물병원은 기본적인 협력 대상이며, 트레이닝 센터나 반려동물 사진 스튜디오도 유용한 협력 대상이 될 수 있습니다.

제휴 업체와는 상호 혜택을 주고받을 수 있는 마케팅 방안을 마련해야 합니다. 예를 들어, 미용 서비스를 받은 고객에게 용품점 할인 쿠폰을 제공하거나, 호텔 이용 고객에게 동물병원 건강 체크 혜택을 제공하는 방식입니다.

동물병원과의 제휴는 반려동물 사업의 고객 신뢰도를 높이고, 고객에게 종합적인 반려동물 관리 서비스를 제공할 수 있는 좋은 기회입니다. 동물병원과 제휴하기 위한 방법을 단계별로 설명해 드리겠습니다.

1) 동물병원 제휴의 목적과 목표 설정

먼저, 제휴의 목적과 목표를 명확히 정해야 합니다. 동물병원과의 제휴가 가져올 수 있는 장점과 함께, 구체적인 목표를 세우는 것이 중요합니다. 예를 들어:

고객에게 신뢰성을 높이고 서비스를 통합적으로 제공

반려동물 건강 관리를 강화하여 장기 고객 확보

고객의 재방문을 유도하고 충성도를 높임

이러한 목표를 바탕으로 동물병원과의 협력 방향을 구체화합니다.

2) 제휴할 동물병원 선정

위치: 고객의 편의를 위해 가깝고 접근성이 좋은 동물병원을 우선적으로 고려합니다. 특히 매장과 동물병원이 가까울수록 고객에게 추가적인 편리함을 제공할 수 있습니다.

병원 규모와 서비스 품질: 병원의 평판과 서비스 품질을 확인하고, 고객에게 좋은 경험을 줄 수 있는 병원인지 판단합니다. 고객의 건강 관리에 대해 신뢰할 수 있는 병원과의 제휴가 중요합니다.

전문성: 해당 병원이 제공하는 서비스나 의료진의 전문성이 높은지 확인합니다. 반려동물의 특정 건강 관리(예: 치아 관리, 피부 관리) 등을 병원에서 담당할 수 있다면 협력의 장점이 될 수 있습니다.

3) 제휴 제안 준비 및 병원과의 첫 상담

병원에 제휴를 제안할 때, 다음 내용을 준비하여 상담을 진행합니다.

서로의 이익을 명확히 제시: 병원 측에도 실질적인 이익이 될 수 있는 제안을 합니다. 예를 들어, 병원에 고객을 소개하거나 병원 방문 후 자사 서비스(호텔, 유치원, 미용 등)를 할인해주는 방식으로 상호 유입 효과를 강조할 수 있습니다.

상호 협력할 수 있는 프로그램 제안

건강 체크 패키지: 병원에서 기본 건강 체크를 받은 반려동물이 호텔에 투숙할 때 혜택을 제공하는 프로그램을 제안할 수 있습니다.

미용과 건강관리 연계: 미용 과정 중 발견된 피부 문제나 질병에 대해 병원의 검진을 추천하고, 고객이 쉽게 진료를 받을 수 있도록 병원과 연계합니다.

제휴로 인한 마케팅 효과 제안: 병원이 자사와 협력함으로써 소셜 미디어나 온라인에서 함께 마케팅할 수 있는 기회를 제안합니다. 고객에게 두 서비스가 연계된 프로모션을 제공할 경우 병원에도 좋은 홍보 기회가 될 수 있습니다.

4) 제휴 방식 및 혜택 설정

제휴 조건과 혜택을 명확히 설정하여 서로 간의 이익을 극대화합니다. 주요 제휴 방식과 혜택은 다음과 같습니다.

고객 혜택 제공: 동물병원을 방문하는 고객에게 자사에서 제공하는 특별 할인(예: 첫 호텔 이용 시 10% 할인)이나 미용 서비스 무료 혜택을 제공합니다.

진료 쿠폰 발행: 자사 호텔이나 유치원에서 머무는 반려동물 고객에게 동물병원의 건강 체크 할인 쿠폰을 제공하여 병원을 방문하도록 유도합니다.

긴급 연락 시스템: 호텔에 머무는 반려동물의 건강 이상이 발견될 경우 즉시 동물병원과 연계해 진료를 받을 수 있도록, 긴급 연락망을 구축하여 병원에 우선적으로 연락할 수 있게 합니다.

정기 이벤트 및 건강 관리 프로그램: 동물병원과 협력하여 건강 관리 이벤트를 정기적으로 개최합니다. 예를 들어, 무료 건강 상담의 날을 정하거나, 예방접종 할인 이벤트를 진행해 고객의 병원 방문을 자연스럽게 유도합니다.

5) 상호 홍보 및 마케팅 협력

동물병원과 협력하여 상호 홍보를 통해 서로의 고객층을 넓힐 수 있습니다.

온라인 홍보 협력: 병원의 SNS 채널이나 블로그에서 자사의 반려동물 호텔, 유치원, 미용 서비스를 소개하고, 자사 SNS에서도 병원 관련 정보를 공유하여 상호 홍보합니다.

리플릿과 포스터 배치: 병원과 자사 매장에 서로의 서비스를 홍보할 수 있는 리플릿이나 포스터를 비치하여 고객이 쉽게 접할 수 있도록 합니다.

공동 이벤트: 예를 들어, 동물병원에서 반려동물 건강 검진을 받은 고객에게 호텔 무료 체험 기회를 제공하거나, 반대로 자사의 장기 투숙 고객에게 병원의 진료 할인 혜택을 제공하는 이벤트를 기획합니다.

6) 제휴 관리와 성과 평가

제휴가 원활하게 이루어질 수 있도록 주기적으로 제휴 성과를 평가하고, 필요 시 개선 사항을 반영합니다.

정기적인 회의와 피드백: 동물병원과의 정기적인 소통을 통해 제휴 성과를 평가하고, 고객의 반응을 바탕으로 프로그램을 개선할 수 있도록 협의합니다.

고객 피드백 반영: 제휴 서비스를 이용한 고객의 피드백을 수집하고, 병원과 공유하여 고객 경험을 지속적으로 개선합니다.

성과 분석: 제휴로 인한 고객 유입, 매출 증가, 만족도 등 성과를 주기적으로 분석하여 제휴의 효과를 확인하고, 제휴 방식을 조정합니다.

동물병원과의 제휴는 상호 간에 고객 유입과 신뢰를 높이는 중요한 전략이 될 수 있습니다. 이 과정을 통해 고객에게는 종합적인 반려동물 케어 솔루션을 제공하고, 병원과 자사 모두 윈-윈할 수 있는 환경을 조성할 수 있습니다.

상호 마케팅과 공동 이벤트:

협력 업체와 함께 공동 이벤트를 기획하면, 각 업체의 고객이 서로의 서비스를 접할 수 있는 기회를 제공할 수 있습니다. 예를 들어, 동물병원과 제휴하여 '건강 체크와 호텔 예약 패키지'와 같은 프로모션을 제공하거나, 용품점과 협력하여 '반려동물 용품 구매 시 미용 할인 혜택'을 제공하는 등 상호 시너지 효과를 낼 수 있습니다.

온라인 상호 홍보도 효과적입니다. 협력 업체의 SNS나 홈페이지에 자사 지점의 서비스 정보를 소개하거나, 고객이 사용할 수 있는 특별 혜택을 게시하여 고객의 관심을 유도할 수 있습니다.

커뮤니티 구축과 신뢰도 증대:

협력 네트워크는 고객에게 통합된 반려동물 관리 솔루션을 제공하는 효과가 있습니다. 이러한 커뮤니티와 네트워크 구축은 고객에게 신뢰를 주며, 고객이 사업장을 선택할 때 중요한 요소로 작용할 수 있습니다.

특히 반려동물 보호와 케어를 강조하는 공통 목표를 가진 업체와 협력할 경우, 사회적 책임을 실천하는 이미지를 구축하고 장기적으로 고객의 충성도를 높일 수 있습니다.

이와 같은 지점 확장과 협력 네트워크 구축 전략은 반려동물 사업의 성장과 성공적인 확장을 위해 필수적입니다. 안정적인 기반을 구축한 후, 체계적인 확장 전략과 강력한 협력 관계를 통해 지속적인 성장과 고객 신뢰를 확보할 수 있습니다.

서비스 다각화 및 부가 사업 모델

반려동물 사업에서 서비스 다각화와 부가 사업 모델을 도입하면, 기존 고객의 다양한 요구를 충족하고 신규 고객을 유치하는 데 도움이 됩니다. 반려동물 스파, 심리 상담, 행동 교정 등 새로운 서비스와 용품 판매 및 자체 브랜드 개발을 통해 사업의 수익성을 높이고, 고객에게 차별화된 경험을 제공합니다.

1) 새로운 서비스 개발

기존의 반려동물 호텔, 유치원, 미용 서비스 외에, 차별화된 서비스로 고객의 다양한 요구를 만족시키고 경쟁력을 강화할 수 있습니다.

반려동물 스파 서비스:

스파 서비스는 반려동물에게 피로 회복과 피부 건강을 제공하는 고급 서비스로, 반려동물 케어의 고급화 트렌드에 부합합니다.

스파 서비스는 아로마 목욕, 피부 보습, 마사지 등 반려동물의 건강과 심리적 안정에 도움을 주는 프로그램을 포함합니다. 특히 피부가 민감한 반려동물이나 스트레스를 받기 쉬운 반려동물에게 인기가 높을 수 있습니다.

스파 패키지를 미용 서비스와 함께 제공해 고급 케어를 원하는 고객을 유치하거나, 처음 이용하는 고객을 위한 할인 이벤트로 재방문을 유도할 수 있습니다.

반려동물 심리 상담 서비스:

반려동물의 행동 문제나 심리적 문제를 해결하기 위한 상담 서비스는, 반려동물이 사람과의 관계에서 겪을 수 있는 스트레스와 불안을 줄이는 데 도움을 줍니다.

특히 짖음, 공격성, 분리 불안과 같은 문제를 다룰 수 있는 심리 상담은 반려동물과 보호자 모두에게 큰 도움이 됩니다.

전문 심리 상담사를 채용하거나 제휴를 통해 외부 전문가와 협력하여 서비스의 질을 높일 수 있습니다.

행동 교정 서비스:

반려동물의 사회성을 키우고, 긍정적인 행동을 강화하는 행동 교정 서비스는 많은 보호자에게 유용합니다. 행동 교정 서비스는 트레이너와의 1:1 세션이나 그룹 트레이닝을 통해 반려동물의 특정 행동 문제를 개선합니다.

특히 어린 반려동물의 초기 사회성 교육, 특정 습관 교정 등 다양한 프로그램을 제공해 보호자들이 적극적으로 참여할 수 있도록 합니다.

행동 교정 서비스를 반려동물 유치원이나 호텔과 결합해 패키지로 제공하면, 보호자에게 더 큰 혜택을 제공할 수 있습니다.

2) 용품 판매 및 자체 브랜드 개발

반려동물 용품을 판매하거나 자체 브랜드를 개발하는 것은 안정적인 부가 수익을 창출할 수 있는 좋은 방법입니다. 반려동물 용품 시장의 성장에 발맞춰, 반려동물 관련 용품을 판매하고, 고객의 니즈에 맞는 고유 브랜드를 구축하여 비즈니스의 차별성을 높일 수 있습니다.

자체 브랜드 용품 개발:

자체 브랜드 용품은 기존의 반려동물 케어 서비스와 연결될 수 있는 제품을 개발하는 것이 효과적입니다. 예를 들어, 미용 서비스와 연계한 고급 샴푸나 컨디셔너, 스파 서비스와 관련된 보습 제품, 스트레스 완화를 위한 아로마 오일 등은 좋은 선택이 될 수 있습니다.

품질을 중시하고 친환경적이며 반려동물에게 안전한 성분을 사용하는 것이 중요합니다. 이러한 특징을 앞세워 브랜드의 신뢰도와 친근함을 높일 수 있습니다.

브랜드 론칭과 동시에 고객의 첫 이용 시 샘플을 제공하거나 할인 혜택을 부여하여 초기 판매를 촉진할 수 있습니다.

오프라인 및 온라인 판매 확장:

용품 판매는 사업장에서 직접 판매할 수 있으며, 이를 통해 고객이 편리하게 구매할 수 있도록 돕습니다. 호텔이나 유치원, 미용실에서 이용 중인 고객에게 추천하거나, 정기적인 할인 혜택을 통해 판매를 촉진합니다.

온라인 쇼핑몰, SNS 스토어 또는 네이버 스마트스토어를 통해 온라인 판매 채널을 확장하여 다양한 지역의 고객을 대상으로 제품을 판매할 수 있습니다. 특히 스토어에서 리뷰를 통해 신뢰를 구축하거나, SNS 광고를 활용하여 브랜드 인지도를 높입니다.

월간 구독 서비스를 통해 정기적으로 필요한 용품(사료, 간식, 보습제 등)을 제공하는 방안도 효과적입니다. 구독 서비스를 통해 고객의 만족도를 높이고, 지속적인 매출을 확보할 수 있습니다.

프로모션 및 패키지 구성:

용품과 서비스 패키지를 구성하여 고객이 서비스를 이용하면서 용품을 체험할 수 있도록 합니다. 예를 들어, 미용 서비스를 예약한 고객에게 관련 샴푸나 브러시를 할인된 가격으로 제공하는 식입니다.

반려동물의 생일을 축하하기 위한 '생일 패키지'나, 계절별 필요 용품을 묶어 할인하는 프로모션을 제공해 고객의 관심을 끌고, 판매를 촉진합니다.

이와 같이 새로운 서비스 도입과 용품 판매 및 자체 브랜드 개발은 반려동물 사업의 수익성을 높이고 고객에게 차별화된 경험을 제공하는 데 큰 도움이 됩니다. 서비스 다각화와 부가 수익 모델을 통해 사업의 안정성을 높이고, 고객과 장기적인 관계를 형성할 수 있습니다

고객 충성도를 높이는 장기적 프로그램

고객 충성도를 높이는 것은 반려동물 사업의 안정성과 지속적인 수익을 확보하는 데 중요한 요소입니다. 이를 위해 고급 고객층을 대상으로 한 프리미엄 멤버십 프로그램과 정기적인 서비스 구독형 모델을 도입하거나, 장기 고객에게 특별한 혜택을 제공하는 로열티 프로그램을 설계하여, 고객이 자발적으로 다시 찾아오도록 유도할 수 있습니다. 이러한 프로그램들은 고객이 더 오랜 기간 서비스와

브랜드에 충성도를 갖고 지속적으로 이용할 수 있도록 설계되어야 합니다.

1) 프리미엄 멤버십 및 구독형 모델 도입

프리미엄 멤버십과 구독형 모델은 고급 고객층을 대상으로 하여 특별한 혜택을 제공하는 프로그램입니다. 고객이 정기적으로 서비스를 이용하며 높은 수준의 혜택을 받을 수 있도록 멤버십 및 구독 모델을 설계하면, 고수익 고객층의 충성도를 높일 수 있습니다.

프리미엄 멤버십 프로그램

멤버십 등급별 혜택 제공: 프리미엄 멤버십을 통해 일반 고객과 차별화된 서비스와 혜택을 제공할 수 있습니다. 예를 들어, 일정 금액 이상 서비스 이용 시 프리미엄 멤버십에 가입할 수 있도록 하며, 멤버십 등급에 따라 할인, 추가 서비스, 우선 예약 등의 혜택을 제공합니다.

우선 예약 및 전용 서비스: 프리미엄 멤버십 고객에게는 일반 고객보다 우선 예약 혜택을 제공하고, 필요 시 1:1 전담 상담을 통해 고객이 원하는 서비스를 더욱 세심하게 제공할 수 있습니다. 특히 바쁜 시즌이나 특정 시간대에 예약이 어려운 미용, 호텔 서비스 등에 우선 예약이 가능하도록 하여 고객의 편의를 극대화합니다.

VIP 케어 서비스: 프리미엄 고객에게는 반려동물 전용 VIP 케어 패키지를 제공할 수 있습니다. 예를 들어, 매달 무료 스파나 미용 업그레이드, 고급 반려동물 용품 제공 등을 통해 고객이 특별한 가치를 느낄 수 있게 합니다.

정기 구독형 모델

정기적인 서비스 구독 패키지: 구독형 모델은 고객이 매달 정해진 비용을 지불하고 미용, 호텔, 유치원 서비스를 정기적으로 이용할 수 있도록 하는 모델입니다. 구독형 모델을 통해 고객은 비용을 절감하면서 안정적으로 서비스를 받을 수 있고, 사업장은 안정적인 매출을 확보할 수 있습니다.

필수 케어 서비스 포함: 반려동물의 건강과 위생을 위한 기본 서비스를 구독 패키지에 포함시켜, 고객이 구독만으로도 모든 필수 케어를 받을 수 있도록 합니다. 예를 들어, 정기 미용, 치아 관리, 목욕 서비스 등 반려동물의 건강과 관련된 서비스가 포함된 패키지를 제공할 수 있습니다.

구독 고객 전용 혜택: 구독형 모델을 선택한 고객에게는 생일 때 특별 서비스 제공, 무료로 간식이나 용품 증정과 같은 전용 혜택을 제공하여 구독 유지율을 높일 수 있습니다. 또한, 구독 고객이 새로운 서비스를 체험할 수 있도록 신제품 샘플이나 미리 체험할 기회를 주는 것도 좋은 방법입니다.

2) 장기 고객 보상을 위한 로열티 프로그램

로열티 프로그램은 오랜 기간 사업장을 이용해 온 고객에게 특별한 보상을 제공하여 장기 고객의 만족도와 충성도를 높이는 데 효과적입니다. 고객이 지속적으로 서비스를 이용할 이유를 제공하고, 신뢰를 형성할 수 있도록 설계되어야 합니다.

포인트 적립과 리워드 제공:

포인트 적립 시스템: 고객이 서비스를 이용할 때마다 일정 포인트를 적립하여, 적립된 포인트로 무료 서비스나 할인 혜택을 받을 수 있도록 합니다. 예를 들어, 호텔이나 미용 서비스를 이용할 때마다 일정 포인트가 쌓이도록 하여 고객이 계속해서 방문할 수 있는 동기를 부여합니다.

포인트 리워드 사용: 적립된 포인트로 다양한 혜택을 선택할 수 있도록 하는 것이 중요합니다. 고객이 필요로 하는 서비스나 제품을 포인트로 사용할 수 있도록 유연하게 구성하여, 고객이 개인적인 취향에 맞게 혜택을 누릴 수 있도록 합니다.

장기 고객 감사 이벤트:

정기적인 감사 이벤트: 장기 고객을 위해 매년 감사 이벤트를 진행하여 고객이 꾸준히 이용해 준 것에 대해 감사의 마음을 표현합니다. 예를 들어, 고객의 반려동물 생일을 맞이하여 작은 선물이나 무료 서비스를 제공하거나, 명절 시즌에 맞춘 감사 이벤트를 개최하여 고객의 충성도를 높일 수 있습니다.

특별 초대 이벤트: VIP 고객이나 장기 고객을 초대하여 특별한 반려동물 세미나나 케어 클래스, 고객 전용 모임을 주최할 수도 있습니다. 고객들이 반려동물과 함께 의미 있는 시간을 보낼 수 있는 프로그램을 제공하여 고객 만족도를 높이고 장기적인 관계를 형성합니다.

장기 고객만의 특별 할인 혜택:

할인 및 무료 서비스 제공: 장기 고객에게는 주기적으로 특정 서비스에 대한 할인 혜택을 제공합니다. 예를 들어, 1년 이상 방문한 고객에게는 미용 서비스 50% 할인 쿠폰을 제공하거나, 호텔 이용 고객에게는 무료 숙박 일수를 추가 제공하는 등의 혜택을 제공할 수 있습니다.

장기 고객 전용 패키지: 장기 고객에게는 특별 패키지를 제공하여, 단골 고객이 더욱 경제적으로 서비스를 이용할 수 있도록 합니다. 예를 들어, 장기 고객 전용 미용 및 호텔 패키지를 통해 일정 금액 이상 사용 시 특별 할인 혜택을 제공합니다.

프리미엄 멤버십, 구독형 모델, 로열티 프로그램 등 다양한 장기적 프로그램을 통해 고객이 지속적으로 반려동물 서비스를 이용하도록 유도할 수 있습니다. 이를 통해 고객이 사업장에 대한 애정을 갖고 장기적으로 이용할 수 있도록 유도하며, 결과적으로 안정적이고 지속적인 수익 창출로 이어질 수 있습니다.

커뮤니티 참여와 사회적 책임 실천 방안

지역 사회와 긴밀하게 연결된 반려동물 사업은 사회적 책임을 다하고 커뮤니티와의 긍정적인 관계를 유지하는 것이 중요합니다. 이러한 노력을 통해 브랜드는 신뢰를 쌓고, 고객에게는 의미 있는 가치를 전달할 수 있습니다. 지역 사회 행사 참여, 보호 동물 캠페인, 기부 및 자원봉사 활동 등은 브랜드의 사회적 책임을 실천하는 데 도움이 됩니다.

보호 동물 캠페인과 입양 지원

보호 동물 입양 캠페인: 유기동물 입양을 장려하기 위해 보호소와 협력하여 캠페인을 진행합니다. 보호소와 제휴하여 입양을 돕거나 입양을 기다리는 보호 동물의 임시 보호소 역할을 수행할 수도 있습니다.

입양 혜택 제공: 보호 동물을 입양한 고객에게 첫 미용 서비스 할인, 호텔 숙박 할인 혜택을 제공하여 입양을 장려하고 사회적 책임을 실천하는 데 도움이 됩니다.

입양 이벤트 개최: 입양의 날 행사나 보호 동물과 고객이 만날

수 있는 이벤트를 정기적으로 열어 입양을 활성화하고 보호 동물의 가정 찾기를 도울 수 있습니다.

지역 사회 행사 참여

반려동물 관련 행사 참여와 후원: 지역에서 열리는 반려동물 관련 축제, 마라톤 행사 등 지역 주민이 참여할 수 있는 행사에 후원하거나 부스로 참여합니다. 예를 들어, 반려동물 촬영 부스 운영, 건강 상담 서비스 제공 등을 통해 지역 사회와 소통하고 브랜드 인지도를 높일 수 있습니다.

동물 복지 교육 세미나 개최: 반려동물 복지에 대한 인식을 높이기 위해 보호자와 지역 주민들을 위한 교육 세미나를 정기적으로 열어, 반려동물에 대한 올바른 정보와 돌봄 방안을 공유할 수 있습니다.

기부와 자원봉사 활동

수익의 일부 기부: 일정 수익을 동물 보호 단체나 유기 동물 보호소에 기부하는 프로그램을 마련하여 고객과 함께 사회적 가치를 창출할 수 있습니다. 예를 들어, 고객이 매달 이용한 서비스의 일정 금액을 기부하는 프로그램에 참여할 수 있도록 안내하여 고객의 참여도 유도합니다.

직원 봉사 활동: 직원들과 함께 유기동물 보호소 봉사, 지역 동물

병원 봉사 등 봉사 활동을 정기적으로 진행하여 지역 사회와의 유대를 강화하고, 직원들도 사회적 책임을 실천할 수 있는 기회를 제공합니다.

사회적 가치 창출을 위한 마케팅 활동

사회적 책임 실천 사항 홍보: SNS, 블로그, 홈페이지 등을 통해 보호 동물 캠페인, 입양 혜택, 기부 활동 등 사회적 책임 실천 내용을 적극 홍보합니다. 이를 통해 브랜드가 지역 사회와 유기 동물 보호에 기여하는 모습을 알리며, 고객들에게 신뢰감을 줄 수 있습니다.

고객 참여 이벤트: 고객이 자발적으로 보호 동물 보호나 기부에 참여할 수 있는 이벤트를 기획하여 브랜드와 고객이 함께 사회적 가치를 창출할 수 있도록 합니다. 예를 들어, 특정 서비스 이용 시 보호 동물 보호소에 기부되거나, 용품을 기부할 수 있는 이벤트를 통해 고객이 쉽게 참여할 수 있는 방안을 마련합니다.

이와 같은 커뮤니티 참여와 사회적 책임 실천 활동은 반려동물 사업이 지역 사회에 긍정적인 영향을 미칠 수 있는 좋은 방법입니다. 이를 통해 브랜드는 신뢰를 쌓고, 고객에게는 특별한 가치를 제공하여 장기적인 충성도를 높일 수 있습니다.